BOOTCAMP – STRAK PAKJE

SHEMARA JASMINE

Bootcamp
Strak pakje

Uitgegeven door Xander Uitgevers BV
Hamerstraat 3, 1021 JT Amsterdam

www.xanderuitgevers.nl

Omslagontwerp: HildenDesign, www.hildendesign.de
Omslagbeeld: © Stefan Hilden/shutterstock.com
Auteursfoto: Daan Brand
Zetwerk: Michiel Niesen/ZetProducties

Eerste druk 2014

ISBN 978 94 0160 207 5 / NUR 301

Voor Lennart, Mette en Hidde

1

Er parelt een zweetdruppel over mijn rug naar mijn bilnaad. De cijfers op het computerscherm dansen voor mijn ogen. Ik heb nog maar een paar minuten om iets in elkaar te flansen en mijn hart klopt in mijn keel. Ik sluit Excel af en klik nogmaals op de uitnodiging in mijn digitale agenda. Verstopt in de 'beschrijving' van de uitnodiging zie ik weer de woorden waar ik vijf minuten geleden zo van schrok:

> *Beste Emma, vergeet niet je eigen beoordeling voor te bereiden. Zoals je weet is het Randalls wens dat je dat zelf doet.*

Ik weet zeker dat ik geen e-mail met deze mededeling heb ontvangen en ik begrijp niet dat zo'n opdracht verscholen wordt in een agenda-uitnodiging. Is het te veel gevraagd om een beoordelingsformulier mee te sturen? Wat werken hier een stel incompetente idioten, denk ik voor de zoveelste keer vandaag. Een printje heb ik ook zeker niet gekregen. Mijn bureau is een verzamelpunt geworden van alle papieren die ik de afgelopen drie maanden heb uitgeprint, voor sommigen een chaos maar voor mij niet: ik weet zeker dat er geen beoordelingsformulier tussen de papieren ligt.

Ik pak mijn mobiel, mijn Moleskin en mijn pen en loop

zachtjes vloekend mijn kantoor uit. Ik kan mijn baas zo direct melden dat één van mijn verbeterpunten is om op tijd op een afspraak te verschijnen, want op de klok van mijn iPhone zie ik dat ik al twee minuten te laat ben. In de lange gang hoor ik mijn hakken gehaast weergalmen op de grijze gietvloer. Het is zes uur en alle kantoren links en rechts van de gang zijn uitgestorven: mijn collega's genieten al van het weekend. Ik klop voorzichtig op de houten deur. 'Binnen,' hoor ik aan de andere kant. Dit is de eerste keer in mijn leven dat ik onvoorbereid op een afspraak verschijn en ineens voelt het alsof ik in een minuut een Big Mac naar binnen heb gestouwd die nu weer mijn strot uit wil klimmen. Voorzichtig duw ik de zware deur open en ik zie Randall achter zijn bureau zitten. Zijn kamer is ruim en sfeervol, de kleuren zijn bruin en houterig. Er ontbreken alleen een mahoniebar en whiskyglazen. Er hangt een nare vergadergeur in Randalls kamer. Mijn collega Chris hangt met zijn vadsige bierbuik onderuitgezakt op de bank en heeft rode koontjes op zijn normaal zo bleke wangen. Ik krijg het gevoel dat ze een indringend gesprek hebben gevoerd, maar aan Randall zie je dat niet. Chris en Randall zullen qua leeftijd niet veel schelen, maar Randall is met zijn volle bos haar een jonge adonis in vergelijking met de kalende pafferige Chris. En zoals altijd ziet hij er opgewekt en energiek uit.

'Goed dat je er bent, Emma. Ik was net klaar met Chris,' glimlacht Randall naar mij. Zijn olieachtige ogen twinkelen als hij me aankijkt en ik voel mijn benen week worden. Ik grijp naar de deurpost om mijn evenwicht te vinden.

'Oké,' reageer ik. Voorzichtig laat ik de deur weer los en stap ik naar binnen. Chris staat met een kreun op en loopt naar mij toe. Die muffe geur komt niet uit Randalls kamer, maar hangt om Chris heen. De zurige lucht vindt zijn weg naar mijn neusgaten en ik houd mijn adem in.

8

'Fijn weekend,' roept Chris terwijl hij de deur met een klap dichtgooit. Midden in Randalls kamer wiebel ik heen en weer op mijn benen en adem voorzichtig weer wat lucht in. Ik voel me klein in deze ruimte, zijn kamer is wel vier keer zo groot als de mijne.

'Wat zullen we doen? Je bent de laatste die ik moet afwerken vandaag.' Randall leunt achterover in zijn bureaustoel en haalt zijn hand door zijn bruine haar. Bij zijn slaap heeft hij een paar grijze haren. Zijn stoppels schat ik zo'n achtenveertig uur oud. Hij heeft de mouwen van zijn overhemd opgestroopt en zijn das hangt los om zijn nek. De bovenste knoop is open. Hij draagt hieronder een spijkerbroek en het resultaat is een interessante kledingcombinatie die hem ontzettend goed staat. Hij doet me ineens denken aan Mr Darcy uit *Pride and Prejudice*, wat eigenlijk best raar is want hij heeft geen stijf voorkomen en ik geloof niet dat Mr Darcy ooit een spijkerbroek heeft aangehad.

'Weet ik niet,' stamel ik snel als ik besef dat hij op mijn antwoord wacht. 'We kunnen naar de SkyLounge gaan.' Ik sta versteld van mijn eigen voorstel.

'Mevrouw Schelp heeft zin in een borrel?' Randall schuift zijn bureaustoel met piepende wieltjes naar voren en geeft me een blik die mijn wangen doen gloeien en die ik onmogelijk kan interpreteren. 'Ik dacht aan de vergaderzaal op de tweede, maar de SkyLounge is een veel beter idee. Pak je spullen maar!' Randall is zijn bureau al aan het opruimen, zie ik. Ga ik nu echt met mijn baas naar de SkyLounge voor een beoordelingsgesprek? Hij kijkt me aan alsof hij mijn gedachten kan lezen: 'En vergeet je beoordelingsformulier niet?'

Ik steven de kamer uit en ren onhandig op mijn hakken naar mijn eigen kantoor. Achter mijn computer tik ik wanhopig een laatste zoekopdracht in mijn Googlemail: 'Beoordeling'. Eén hit: de afspraak om 18.00. Ik heb echt niets ontvangen.

Na drie maanden dienstverband word ik nog steeds in alle algemene e-mails vergeten. Gisteren vroeg ik weer aan Els of ze mij aan de lijst wilde toevoegen, maar blijkbaar is dit ontzettend moeilijk voor haar. Paniekerig kijk ik naar de papieren die op mijn bureau liggen en ik graai hier en daar in een stapel. Dit is mijn eerste beoordelingsgesprek bij Vertimix en ik ben onvoorbereid. Ik pak een stapel op en blader erdoorheen, maar ik weet dat hier geen beoordelingsformulier tussen zit. Ik open op mijn computer de algemene schijf en *search* opnieuw naar 'Beoordeling'. Shit, deze baan is zo belangrijk voor mij. Ik heb alles achter me gelaten hiervoor en nu verpest ik het binnen een paar weken!

'Wat ben je aan het doen? We gaan.' De fluwelen stem van Randall dreunt in mijn kamer en komt aan in mijn buik. Ik voel zijn ogen keurend over mijn lichaam glijden, maar besef dat hij misschien wel naar alle rotzooi op mijn bureau kijkt en helemaal niet naar de vrouw erachter.

'Ik moest nog een mailtje versturen,' lieg ik. Ik pak mijn gevoerde leren jack van mijn bureaustoel en gooi het over mijn arm. Het idee om mijn jas aan te trekken is verstikkend. Ik grijp mijn Fab-tas van onder het bureau en ik strijk in een automatisme mijn rokje recht door er klapjes op te geven. Er blijft een venijnige vouw in zitten. Ik was zo trots dat ik eindelijk een rokje in de uitverkoop had gescoord bij de Bijenkorf, maar de kwaliteit valt me enorm tegen.

'Zijt gij zover prinses, of moet je je nog even opdoffen?' Randall leunt met één hand in zijn zij tegen de muur aan. Hij ziet er onweerstaanbaar uit. Er schiet een welkome gedachte door mijn hoofd: ik heb zin om hem bij zijn jasje te pakken en te zoenen, zijn stoppels te voelen op mijn lippen, op mijn kin.

'Ja, ik kom.' Ik baal onmiddellijk van mijn woordkeuze. Als ik hem aankijk ben ik bang dat hij in mijn ogen kan zien waaraan ik denk dus vis ik mijn kleurloze lipgloss uit mijn tas en breng het omlaag kijkend aan op mijn lippen. Mijn jas glijdt van mijn arm en valt op de grond.

'Je zet alles in de strijd geloof ik, maar dat is ook een kwaliteit,' zegt Randall als hij twee stappen later naast me staat en mijn jas van de grond raapt. 'Je bent de eerste vandaag met deze aanpak. Best verfrissend na een hele dag beoordelingsgesprekken.'

'Dat was niet de bedoeling. Ik heb last van droge lippen. De ramen kunnen niet open op kantoor...'

'Grapje,' onderbreekt Randall mij. 'En sorry. Het was een hele lange vrijdagmiddag.' Randall wrijft met zijn hand over mijn bovenarm en ik hap naar adem.

'Oké,' weet ik net uit te brengen, ik besluit even mijn lippen op elkaar te houden terwijl we door de gang lopen en de lift in stappen.

Buiten giert de herfstwind. Een koud windvlaagje vindt zijn weg onder mijn blousje naar mijn onderrug en naar mijn bh-sluiting. Mijn jas hangt nutteloos over mijn arm en er gaat een rilling door mij heen. 'Heb je het koud, pop? Je hebt kippenvel.' Zijn warme hand wrijft terwijl hij het zegt over mijn blote onderarm en hij legt zijn arm om mijn schouder.

'Dank je wel. Ik heb het inderdaad een beetje koud.'

'Gelukkig heb je een lieve baas die je graag opwarmt.' Randall geeft me een knipoog en ik durf ineens te hopen dat hij met me flirt. Maar tegelijkertijd voel ik me ongemakkelijk. Dit is mijn baas, het kan gewoon niet. We lopen samen door de draaideur de lobby van het Hilton in. Zijn warme harde borstkast voel ik tegen mijn schouder. Als we de lift in stappen schrik ik van het spiegelbeeld dat mij toelacht: twee aan elkaar klevende mensen, die innig met elkaar verbonden zijn. Ik begrijp niet hoe dit ineens zo snel kan gaan. Of verbeeld ik het me?

Ik probeer me uit zijn greep te bevrijden. Het is niet professioneel van mij om op deze manier met Randall in de lift te staan. Waarom voelde het zo ontzettend fijn om me in hem te nestelen?

'De volgende keer doe ik mijn jas aan. Ik dacht dat ik dat kleine stukje buiten wel zou redden,' verontschuldig ik mij. Van ons kantoor naar het Hilton is het maar een paar minuten lopen.

In de SkyLounge zie ik de verlichte stad onder en voor ons. Ik waan me een beetje terug in New York en er gaat een steek door mijn onderbuik. 'Zullen we achterin gaan zitten, Emma?' vraagt Randall. Ik volg hem zonder zijn vraag te beantwoorden. Hij neemt plaats op een rode leren bank en klopt uitnodigend op de plek naast hem. Waar zijn hand twee seconden eerder klapjes gaf, zet ik mijn billen neer, ervan bewust dat mijn wangen bij die gedachte paars kleuren. Dit is een beoordelingsgesprek, Emma! Ik spreek mezelf streng toe.

'Ik ben blij dat je het een goed idee vond om hier naartoe te gaan.' Ik wil iets zeggen over waarom ik het gesprek niet heb voorbereid. Ik babbel verder: 'Het punt is…'

'Wat kan ik voor u inschenken?' Een tenger meisje met paardenstaart staat uit het niets voor ons.

'Hebben jullie champagne?' vraagt Randall.

'Natuurlijk, meneer. Een fles?' Na een knikje van Randall stuift ze weg en ik kijk hem vragend aan.

'We moeten het weekend vieren. Ik heb alle beoordelingen gelukkig weer achter de rug,' zucht hij.

'Behalve die van mij,' reageer ik.

'Sorry, ik zou het bijna vergeten.' Randalls ogen twinkelen.

'Wat ik net tegen je wilde zeggen is dat ik niet geloof in beoordelingsformulieren. Ik bedoel dat niet respectloos, maar volgens mij is het voor sommige medewerkers beter om *out of the box* te denken.' Ik verbaas me over mijn eigen tekst. Nu hopen dat hij toehapt.

Randall kijkt naar me met een intense blik. 'Je maakt me nieuwsgierig. Heb je iets anders voorbereid?' Hij schuift dichter naar mij toe zodat zijn knie net niet die van mij raakt. Doet hij dit expres? Mijn hart bonst alle kanten op, al probeer ik er controle over te krijgen.

'Ja, ik zal het even pakken.' Ik begin in mijn leren tas te graaien. Wat heb ik daar veel rotzooi in zitten besef ik me. Opeens hoor ik een zoemend geluid.

'Heb je een grasmaaier in je tas?' Shit. Randall moet zich hier niet mee bemoeien.

'Het is niets,' reageer ik. Ik zie onder in mijn tas een lampje knipperen en ik grijp naar het geluid en het lampje. De onruststoker hou ik als een trofee omhoog: 'Mijn *epilady*,' jubel ik. 'Die ben ik al weken kwijt.' Ik weet duidelijk niet meer wat ik doe.

'Je hebt dus ondertussen een lekker vachtje opgespaard. Vandaar dat je zo'n dikke panty draagt.' Hij aait met zijn hand over mijn bovenbeen, er gaat een warme elektrische schok door mijn lichaam.

'Ik heb me geschoren, natuurlijk. En dit is toch geen beoordeling over mijn haargroei?' Voor ons worden nu gelukkig twee champagneglazen op het ronde tafeltje volgeschonken zodat het gesprek niet nog ongemakkelijker kan worden. Ik probeer mijn verhitte gezicht te verbergen in mijn tas, waar ik ook mijn epilady weer ingooi.

'Kan je het vinden? Jullie vrouwen slepen veel te veel mee. Het lijkt wel een Douwe Dabbert-knapzak. Straks haal je er een hele kampeerset uit tevoorschijn.' Ik hoor aan het stemgeluid van Randall dat hij het amusant vindt. De rits van mijn tas schuurt nu tegen mijn wang. Dit is geen pretje en ik snap niet dat ik mezelf niet beter in de hand heb.

'Gevonden,' roep ik uit. Ik hou mijn iPad hoog in de lucht waar een minuut eerder mijn epilady hing.

'Wacht even.' Randall buigt zich naar me toe en ik voel zijn warme adem op mijn gezicht. Ik sluit mijn ogen en verwacht – of hoop – zijn lippen op de mijne te voelen. De afgelopen drie maanden flitsen door mijn gedachten. Ja, ik vond hem vanaf de eerste kennismaking aantrekkelijk. Al bij het eerste sollicitatiegesprek was ik verkocht. Randall is perfect, mannelijk en gevoelig, grappig en slim, sportief en stijlvol. Maar dat hij mij ook leuk vond, dat wist ik niet. Dat had ik niet durven hopen. Al die verlegen hallo's bij de koffieautomaat, de stiekeme blikken heen en weer aan de vergadertafel – het betekende echt iets, ik heb het me niet verbeeld. Ik kan het nauwelijks geloven. Gaat hij me nu echt zoenen? Hing het al die tijd dan in de lucht? Ik hoor zijn stem: 'Er zat iets in je haar, kijk maar.' Voorzichtig open ik mijn oogleden en Randall houdt iets voor mijn neus alsof hij mij gaat hypnotiseren.

'Wat is dat?' vraag ik.

'Dat lijkt me duidelijk.' Randall giert het uit van het lachen. Hij slaat met zijn hand op zijn spijkerbroek en laat nog eens zien wat hij uit mijn haar heeft geplukt: een tampon. Ik gris het geval uit zijn hand en smijt die terug in mijn tas. Als ik mijn gezicht nu onder de koude kraan zou houden, zou er genoeg stoom vanaf komen om een antieke locomotief aan de praat te krijgen.

'Ach ja. Het is de laatste mode. Volgens de *Linda* is dit hét accessoire van dit moment.'

'Jij bent grappig, Emma.' Randalls linkerhand raakt lichtjes mijn bovenbeen aan en mijn lichaam verstijft. Het lijkt alsof hij mij bewust aanraakt. Ik voel natte plekken onder mijn oksels. Ik hou mijn armen strak tegen mijn lichaam zodat ik geen geur verspreid, en ik moet aan die meurende Chris denken. Randall schudt heen en weer van het lachen. Hij doet zijn jasje uit en door zijn beweging zie ik dat hij geen T-shirt onder zijn overhemd draagt. Stiekem speur ik naar zijn buikspieren, het kan niet anders dan dat er een sixpack verstopt zit onder zijn kleding. 'Sorry, dat was erg grappig. Ik ben ondertussen nieuwsgierig geworden naar jouw manier van beoordelen.' Randall laat een stilte vallen. Hij leunt met zijn linkerzij tegen de bank zodat hij mij recht aankijkt.

'Wat ik probeer is om de beoordeling persoonlijk te maken.' Ik denk aan de persoonlijke effectiviteitstraining die ik in mijn inwerkprogramma gevolgd had. Ik moest mijn levensmotto bedenken. 'Leef iedere dag alsof het je laatste is,' draag ik voor vanaf mijn iPad. Ik kijk hem aan en hij kijkt niet weg, zijn wenkbrauwen fronsen licht alsof hij aan het nadenken is. 'Dat is mijn motto. Ik wil iedere dag het beste uit mezelf halen, vooral tijdens mijn werk.' Ik glimlach mijn liefste lach naar Randall.

'Wauw. Na al dat gezwets van vandaag. Dit raakt me.' Hij brengt zijn hand op zijn hart. 'Jij bent... wow. Je doet me denken aan hoe mijn vrouw ooit was.' Getrouwd? Huh? Hij heeft het nog nooit over een vrouw gehad? Niemand op kantoor heeft het ooit over zijn vrouw gehad? Hoezo 'mijn vrouw'? Hij spreekt in de verleden tijd, alsof ze overleden is en hij kijkt ineens verdrietig. Zijn lach is verdwenen. Ik slik en mijn hersenen maken overuren om te zoeken naar gepaste woorden.

'Dank je wel. Ik wist niet dat je getrouwd was,' zeg ik voorzichtig. Mijn hart klopt in mijn keel. Zijn privéleven gaat mij niets aan, maar ik kan mijn nieuwsgierigheid niet onderdrukken. Deze arme vrolijke man, een weduwnaar?

'We zijn al lang bij elkaar en hebben twee kinderen. Het is een heel gecompliceerd verhaal. Het is al een tijd niet goed.' Randall staart naar de vloerbedekking. Hij krabt op zijn hoofd en een pluk van zijn haar blijft overeind staan. Ik voel woede, ze leeft.

'Je bent dus getrouwd?' Het komt er in de herhaling beschuldigender uit dan ik wil.

'Nee, pop.' Zijn stem is nu weer zacht en hij kijkt me aan. 'Ik ben alleen op papier nog getrouwd. We gaan scheiden.' Ik staar naar de grijze haren rondom zijn slaap. Waarom zijn zelfs zijn grijze haren aantrekkelijk?

'Goh, wat naar. Ik wist dat niet.' Ik klop bemoedigend op zijn schouder. Ik weet niet wat me bezielt. Een schouderklop?

'Ach ja, die dingen gebeuren. Ik heb Veer betrapt met de buurman. Het is een clichéverhaal. Ik kwam eerder thuis om haar te verrassen en ik kan je vertellen dat het een verrassing was. Ik hoorde haar kreunen nog voordat ik het zag.' Oké, *too much information*. Dit wil ik niet weten. Ik voel een steek in mijn buik en voel mijn hart opzwellen. Wat verschrikkelijk moet dat zijn geweest, om dat mee te maken. En wat een bitch!

'Ik vind het zo erg voor je.' Ik wrijf voorzichtig over zijn onderrug, beter dan die mannelijke schouderklop. Voorzichtig schuif ik mijn hand naar zijn zij en voel dat hij strakke buikspieren heeft.

Hij buigt zich naar mijn oor en ik voel opnieuw zijn warme adem. Hij ruikt heel licht naar kaneel. '*Please*, vertel dit aan niemand. Ik moet het nog verwerken. Dat begrijp je toch wel. En laten we het nu niet over mij hebben. Dit gesprek gaat over jou.' Mijn oren tintelen en een warme sensatie gaat door mij heen. Zijn vinger tikt zachtjes tegen mijn schouder, het voelt als kleine stroomstootjes.

Ik bijt op mijn lip. 'Als je erover wil praten, weet je me te vinden.'

'Ik wil het graag ergens anders over hebben.' Randall gaat rechtop zitten. 'Je bent de beste momenteel. Je bewijst elke dag opnieuw dat je intelligent bent, maar nu met je bijzondere beoordelingsaanpak zie ik ook dat je een leider bent. Ik wil je vragen of je de komende tijd als interimmanager de afdeling wil leiden. Zie het als een proeftijd die binnenkort wordt omgezet in een formele benoeming, maar daar heb ik wat meer tijd voor nodig. En ik wil dat je direct aan de slag gaat.' Hij pakt met een ondeugende blik de glazen champagne van het tafeltje voor ons op en biedt mij er één aan.

'Ik weet niet wat ik moet zeggen.' Ik knijp in mijn arm om zeker te weten dat dit echt gebeurt.

'Zeg maar dat je ontzettend blij bent met je fantastische baas.' Hij houdt zijn glas in de lucht om te proosten. Ik klink mijn glas tegen het zijne en neem een slokje. De bubbels glijden feestvierend door mijn keel.

'Je moet me nu recht in mijn ogen kijken, anders zeven jaar slechte seks.' Randall legt even de nadruk op het woordje seks en ik voel mijn hart tekeergaan. Ik kijk hem diep in zijn ogen en onze glazen klinken opnieuw. 'Op onze samenwerking, Emma. Ik kijk ernaar uit om veel meer met jou te gaan doen.' Randalls stem klinkt als een cadeau.

'Ik ook.'

DRIE MAANDEN LATER

2

'Wie is de beste?' roept Randall met een dubbele tong. Hij staat op de bar met zijn rode stropdas om zijn hoofd gebonden en doet me denken aan die *Rambo*-films. Het hotelpersoneel lijkt het doodnormaal te vinden dat wij de bar hebben overgenomen en loopt onverstoorbaar door de lounge om ons te bedienen van bittergarnituur. Op de tafeltjes staan flessen wodka en kannen met jus d'orange zodat we zelf onze mixjes kunnen inschenken.

'Wij zijn de beste,' schreeuwen we in koor. Mijn keel voelt als schuurpapier en ik besluit de volgende keer te playbacken. Een nieuwe champagnefles plopt open en ik houd mijn glas in de lucht voor een *refill*. Ik ben de tel kwijt van mijn consumpties en mijn hoofd tolt, maar mijn hand weet blijkbaar dat ik nog een glaasje wil. Ik plof met mijn volle glas neer op de bank achter me om even uit te rusten.

'Hey, mevrouw afhaak,' roept Randall naar me.

'Ik moet even zitten. Mijn voeten willen niet meer.' Ik wijs naar mijn nieuwe L.K. Bennett lakleren pumps.

'Hoe je dat doet, is me een raadsel. Altijd op die hoge hakken.' Hij neemt naast mij plaats. Ik voel zijn been langs de mijne schuren en het bloed stijgt naar mijn hoofd.

Hij bukt en schuift mijn voet moeiteloos uit mijn pump. Mijn lichaam reageert direct op zijn aanraking. 'Een voetmassage,' gromt hij. In een reflex trap ik met mijn been tegen zijn hoofd. 'Au,' schreeuwt hij uit, terwijl zijn hand naar zijn hoofd vliegt.

'O sorry. Dat was niet de bedoeling.' Dat heb ik weer. Shit. Trap ik tegen het hoofd van mijn aantrekkelijke baas. Correctie: mijn minnaar met wie ik al tig keer het bed heb gedeeld en van wie ik geen genoeg krijg.

Met puppyogen kijkt hij me aan en ik smelt. Kom op, Emma, spreek ik mezelf toe.

Langzaam glijdt zijn hand van zijn gezicht mijn kant op, hij pakt een plukje haar en plaatst het achter mijn oor. Zijn vingers raken mijn wang. 'Wat ben je zacht,' fluistert hij.

In paniek kijk ik om ons heen. Dit is de slechtste plek op de aardbol om mijn affectie jegens mijn sexy baas te tonen. Hij heeft vandaag zijn Diesel-jeans aan die ik al heel vaak van zijn heupen heb getrokken. Daaronder draagt hij vast, zoals altijd, zijn strakke zwarte Björn Borg-onderbroek.

'Wat kijk je moeilijk. Het is feest vandaag. We hebben in het afgelopen jaar de allergrootste winst *ever* gedraaid. En dat in de *fucking* economische crisis. Wij zijn de beste.' Waarom spreekt hij die woorden zo verleidelijk uit? Ik zou hem het liefste ter plekke bespringen. Het voelt alsof er een grote doos met Leonidas-chocolade voor mijn neus staat, waarvan ik er niet eentje mag opeten.

'Emma, waar denk je aan?'

'Euh, aan bonbons. Ik heb daar ineens zin in.'

'Hmmm. Daar heb ik ook zin in. Ik heb alleen meer zin in jou.' Hij legt zijn hand op mijn knie en kriebelt met twee vingers omhoog over mijn bovenbeen. Hij weet precies hoe hij mij gek kan maken. Ergens weet ik dat ik hem moet tegenhouden, maar ik verstijf. Recht voor ons staan onze collega's te borrelen.

'Dit kan echt niet,' zeg ik. Het duiveltje op mijn schouder

zit aan mijn oorlel te sabbelen. Ik verplaats met moeite zijn hand, die zo zwaar voelt als een baksteen.

'Natuurlijk wel, pop. Niemand heeft het door en jij kunt toch nergens heen want ik heb je hotelsleutel.' Hij zwaait met de sleutelkaart voor mijn neus.

'Iedereen hier denkt dat je getrouwd bent,' sneer ik. Het komt er scherp uit.

'Jij weet beter dan dat. We moeten alleen de financiële zaken nog afwikkelen. Het zou niet handig zijn als mijn ex er nu achter komt dat ik een vriendin heb.' Er ontstaat een bosbrand in mijn buik als ik het woord 'vriendin' uit zijn mond hoor komen.

'Hup, ga jij maar Rambo spelen met je vrienden.' Ik geef Randall een zetje en hij springt op van de bank.

Hij werpt me een handkusje toe en draait zich om. Zijn gespierde kont komt mooi uit in die donkerblauwe jeans. Ik voel me een puberende bakvis die smachtend op een bankje wacht totdat haar grote liefde haar ten dans vraagt.

Een paar uur later schijnt het stadslicht tussen de gordijnen op zijn gezicht. Ik zou uren naar zijn perfecte gelaat kunnen staren. De satijnen dekens voelen koud aan op mijn naakte lichaam. Ik huiver. Emma, je moet weg hier, zeg ik tegen mezelf. Voor geen goud mogen mijn collega's erachter komen dat ik het bed deel met Randall. We zijn de afgelopen maanden extreem discreet geweest zodat we niet betrapt zouden worden. Alleen de eerste keer zijn we in een hotelkamer in de buurt van het kantoor beland. Ik denk terug aan het beoordelingsgesprek dat uitmondde in heftige seks met mijn baas. Sindsdien ben ik een soort junkie die hunkert naar meer. Ik kan niet genoeg van Randall krijgen, en hij ook niet van mij.

Ik onderdruk de behoefte om hem even aan te raken. Ik

weet zeker dat hij wil dat ik blijf. Hij maakt een grommend geluidje in zijn slaap, het is een lief snurkje. Zachtjes trek ik de deken van mij af en wurm me in het glitter cocktailjurkje die ik van de grond opraap. Het jurkje voelt klam aan. Wat heb ik vannacht ook alweer gedaan? Er flitsen beelden door mijn hoofd van spuitende champagneflessen. Ik zie nergens mijn slipje. Ik kan me vaag herinneren dat hij die met zijn tanden van mijn lichaam scheurde en er gaat een warme sensatie door mijn lichaam. Mijn dure nieuwe lingerie. Jeetje, wat ben ik een muts. Dan maar geen slipje aan.

Op de salontafel zie ik zijn iPhone oplichten. Wie stuurt hem midden in de nacht een berichtje? Mijn voeten lopen naar zijn telefoon. Ik kijk steels naar de afzender. Er staat: 'Veer'. Ik pak de telefoon om het bericht te lezen:

'Ik mis je schat, kan niet slapen zonder je. X jouw Veertje.'

Mijn adem stokt. Dit lijkt me niet een bericht van iemand die in scheiding ligt. Shit. Ik draai me om en zie dat de deken beweegt. Is Randall wakker geworden? Ik ga op mijn tenen staan zodat ik hem kan zien. Zijn ogen zijn gesloten en zijn mondhoeken staan omhoog, alsof hij droomt over rondspringende blije konijntjes. En ik, ik voel me dom en verward. Als iemand die te vroeg uit de trein is gestapt. Ik weet ineens niet precies waar ik ben.

Ik weet dat ik zijn telefoon terug moet leggen en mij niet moet laten verleiden tot iets waarvan ik spijt ga krijgen. Mijn vinger zwiept de vergrendeling open en hij heeft geen code. Iedereen heeft tegenwoordig zijn telefoon vergrendeld, maar Randall niet. Onbegrijpelijk. Nu moet ik wel verder kijken. Ik lees:

Schat, ik reken niet op je met het eten. Er staat een heerlijke stoofpot op je te wachten. Want liefde gaat door de ... X Veertje

Lieve Veer, ik verheug me op jouw stoofpot en wel meer... Blijf je net zoals het stoofpotje op mij wachten? Geef je een knuffel aan de kids van mij? X R

Ran, kids missen je. Voor het eten nog even bellen?

Ik doe mijn best. Ik mis de kleine donderstenen en jou ook... Kan niet wachten om je te zien, mijn liefste Veertje PS Trek je dat ene pakje weer aan als ik thuiskom?

Ik mis je schat, kan niet slapen zonder je. X jouwveertje.'

Ik moet hier weg.

De deur valt geruisloos in het slot. Ik wandel op mijn blote voeten over het hoogpolige tapijt met mijn pumps in mijn hand naar mijn hotelkamer. Mijn hoofd bonkt en slikken kost me moeite. Ik staar naar de deur van mijn kamer die toevallig naast de kamer van 'de baas' is. Waar is mijn sleutelkaart gebleven? Mijn hersencellen draaien overuren. Shit. Die heb ik aan Randall gegeven. De grap was dat ik zonder hem niet naar mijn kamer kon... Ik ben bang dat ik daar vannacht smakelijk om heb gelachen.

Ik wandel zo snel als ik kan naar de receptie. Ik sluip de trap af en duw de grote klapdeur open. Het is donker in de lobby en ik zie tot mijn opluchting geen andere hotelgasten.

'Waar gaat dit heen?' Uit het niets staat er een grote klerenkast voor mijn neus.

'Ik ben mijn sleutelkaart kwijtgeraakt en nu kan ik mijn kamer niet in.' Ik klink als een kind van vier die haar moeder kwijt is geraakt. Ik probeer mijn haar te fatsoeneren door eroverheen te wrijven.

'Ik zal je wel weer naar buiten begeleiden, dametje.'

'Pardon? Naar buiten begeleiden? Ik zeg toch net dat ik mijn sleutelkaart ben kwijtgeraakt.' Nu klink ik als een hyena, wat is er mis met mijn stem?

Hij klakt met zijn tong. 'Jullie worden met de dag brutaler. Hoe haal je het in je hoofd?'

'Brutaler? Dat mag ook wel met wat we per kamer betalen. Daar verwachten we service bij.' Ik sla mijn armen over elkaar en maak mijn ogen tot spleetjes, de meeste mensen worden dan bang. Maar deze opgepompte krachtpatser haalt zijn schouders op.

'Dametje, ik ben niet van gisteren. Ik laat mij niet om de tuin leiden door jouw soort.' Hij slaat ook zijn armen over elkaar. Ik heb ooit ergens gelezen dat mensen elkaars houdingen kopiëren. Ik weet alleen niet meer hoe het ook alweer zat. Focus, Emma. Ben ik nog een beetje dronken?

'Mijn soort?' Het valt me nu op dat hij blond haar en blauwe ogen heeft. Zou hij het over mijn licht getinte huidskleur hebben? Ik zie de minachting nu in zijn ogen, ijskoud en vol haat. Kom ik midden in de nacht iemand van de Ku Klux Klan tegen? Ik kijk om me heen en zie dat er verder geen hotelpersoneel te bekennen valt. Mijn laatste uren zijn geslagen. Waarom ben ik bij Randall weggegaan? Ik lag toch heerlijk naast hem. Nu sta ik oog in oog met mijn toekomstige moordenaar. Mijn benen voel ik trillen.

'Je bent niet de eerste vanavond.' Zijn stem klinkt kalm. Psychopathisch rustig, als in de film *Silence of the Lambs*.

Ik had altijd gedacht dat ik dapper zou zijn in een levensbedreigende situatie, maar ik ben verstijfd als een kalkoen op de avond van *thanksgiving*. Het lijkt alsof ik uit mijn lichaam treed.

Hij loopt op mij af en grijpt mijn bovenarm stevig beet, en hij trekt dan aan mijn arm zodat ik meeloop.

Na drie stappen herinner ik me ineens een zelfverdedigingsles van jaren geleden: ik laat me als een zoutzak op de grond vallen. 'Dit meen je niet,' roept hij vermoeid uit. Hij bukt voorover, pakt me onder mijn oksels en met gemak tilt hij mij naar buiten.

'Brand, brand,' gil ik uit. Mijn geheugen laat me niet in de steek. Ik heb een klein trots momentje als ik door mijn moordenaar het hotel uit wordt gedragen. 'Brand, brand,' kerm ik nogmaals. Maar omdat ik de hele avond 'Wij zijn de beste' heb gegild, heb ik niet veel stemgeluid over.

Ik zie de portier op ons af rennen. Ik ben gered. Hij heeft een schattig rood apenpakje aan en ziet er een beetje iel uit. Hij is twee koppen kleiner dan mijn belager, en past in de breedte wel drie keer in hem.

'Wat is er aan de hand?' vraagt de portier.

'Help. Hij probeert me te verkrachten en vermoorden,' piep ik.

'Het is een hardnekkige aanstelster. Dit grietje is de lastigste van vanavond,' legt hij aan de portier uit.

De portier knikt naar hem. 'Goed gedaan, Barry.' De portier doet zijn duim goedkeurend in de lucht. Is die knul zijn handlanger? Hoeveel vrouwen worden hier vermoord?

Hij zet me neer op straat en mijn voeten verkrampen door de koude tegels. Mijn jurkje is omhoog gekropen. Ik trek het snel naar beneden en besef dat hij gezien heeft dat ik geen slipje aan heb. 'Ik wil weer terug naar binnen,' gil ik. 'Spaar me, alsjeblieft. Ik heb nog zo veel om voor te leven.' Ik denk aan mijn begrafenis en vraag me af wie er allemaal zullen komen. Ik verwacht dat al mijn familieleden in ieder geval komen. Zouden mijn vrienden uit het buitenland overvliegen? Mijn leven zou nu in een flits voorbij moeten vliegen, maar ik merk nog niets.

'Ga leven, dametje. Maar niet hier in ons hotel. Wij hebben *zero tolerance* beleid op het gebied van deze praktijken. Ik wil je hier nooit meer zien.' Hij draait zich om en loopt naar de ingang. Gaat hij me niet vermoorden?

'Ik denk dat het slim is om weg te gaan. Als Barry straks terugkomt en je bent hier nog steeds, dan heb je echt een probleem. Geloof me,' zegt de portier.

'Ik wil naar mijn kamer. Ik ben mijn sleutel kwijt,' snik ik.

'Die smoes gebruiken jouw collega's allemaal.'

'Mijn collega's liggen allemaal lekker in het kingsize boxspringbed te slapen. Ik sta op straat.' Ik denk terug aan het heerlijke bed en Randall. Wat een nacht. Afgezien van het feit dat hij niet in scheiding ligt dan en dat zijn vrouw haar eigen naam heeft verminkt met een bezittelijk naamwoord; jouw Veertje, wie doet dat? De klootzak. Het liefste zou ik ergens tegenaan willen trappen, of iets willen vernielen. Blijkbaar zit er diep in mij een vandaal verstopt.

'Ik denk dat de meeste collega's van jou op straat staan.'

'Echt waar? Heb je ze gezien? Waar zijn ze heen gegaan?'

'Dat hoef ik jou toch niet uit te leggen?' Hij grijnst naar me. Hij neemt me van top tot teen op. 'Je bent mooi,' zegt hij.

'O dank je wel. Ik voel me momenteel niet zo mooi.' Ik visualiseer mijn pluizige haar en doorgelopen mascara en besef dat ik er vreselijk uitzie.

'Hoeveel kost je?'

'Volgens mij is mijn uurprijs ongeveer honderdvijftig euro, maar dat verdien ik niet zelf hoor. Daar gaat nog van alles vanaf.'

'Jeetje, dat is best veel geld.'

'Ik ben goed in mijn werk. Verder ben ik in alles slecht.'

'Goh. Fijn, dat je je roeping hebt gevonden dan. Hoe kan

ik jou dan inhuren?' Hij kijkt achterom alsof hij bang is dat iemand meeluistert.

'Heb je financiële assets?'

'Bedoel je of ik jou kan betalen? Ik verdien heus wel wat als portier, hoor.' Hij fronst zijn voorhoofd.

'O sorry. Ik wilde je niet beledigen. Excuses. Waar heb je momenteel aandelen in?'

'Moet ik jou in aandelen betalen?' Zijn ogen ploppen bijna uit zijn oogkas. 'Ben jij een soort *high class* escort, of zo? Die hebben we hier nog niet eerder gehad. Tenminste, niet dat ik weet.' Escort? Hij denkt dat ik een hoer ben?

'*Seriously*?' Ik weet niets anders uit te brengen.

'Je bent sowieso geen Nederlandse.'

'Ik ben wel Nederlandse, maar ik heb altijd in het buitenland gewoond. Mijn ouders wonen nog steeds in het buitenland.' Waarom zeg ik dit tegen een portier die mij voor hoer uitmaakt?

'Je arme ouders. Weten ze dat je dit werk doet?'

'Nee. Ik ben geen hoer. Ik werk als financieel adviseur en geef advies over aandelen.'

'Ik moet zeggen dat jouw "smoesjes" ook beter zijn dan van die straathoertjes. Je bent ook veel mooier. Dat viel mij direct op.'

'Ik ben veel mooier omdat ik geen hoer ben,' bries ik. 'We verblijven hier met een weekendje weg van het werk. Ons bedrijf heet Vertimix.'

'Natuurlijk weet jij de bedrijfsnaam. Je hebt vast net in bed gelegen met één van die hotemetoten. Die kunnen jou zeker wel in aandelen betalen.'

'Ik ben geen hoer,' zeg ik giftig, en ik bedenk dat hij ook een beetje gelijk heeft.

'Je hebt ook geen onderbroek aan. Ik zag net jouw doos. Normale vrouwen dragen ondergoed.'

Ik krimp ineen. Hij heeft mijn 'doos' gezien. Is dit normaal Nederlands? Ik moet echt een inburgeringscursus gaan volgen.

'Je kunt beter weggaan want Barry komt eraan. Ik ga tegen hem zeggen dat je mij probeerde te verleiden, hoertje.' De portier heeft een smal gezicht met een karakteristieke neus, zijn neus wijst omhoog en hij kijkt mij niet meer aan.

'Ik ga al, domme kabouter!' Ik wil hier toch niet blijven. Ik schuif mijn voeten in mijn pumps, ze zijn veranderd in ijsklompjes en ik hoop dat mijn tenen er niet afgevroren zijn. Ik trippel de donkere nacht in en met weemoed denk ik aan mijn eigen bed. Als ik over tien minuten thuis ben ga ik me onder de dekens begraven om er nooit meer uit te hoeven komen. Mijn hoofd bonkt in het ritme van mijn hartslag. Ik wurm mijn iPhone uit mijn clutch en druk op 'taxicentrale Amsterdam.'

3

'Hallo? Hoor je wel wat ik zeg?' vraag ik. Ik klop met mijn vuist op Sandra's voorhoofd.

'Au, hou op,' ze duwt mijn hand weg. 'Volgens mij is het allemaal niet zo heel ernstig. Ik dacht dat er iemand was doodgegaan. Je had zo'n grafstemming. Dit valt me alles mee.'

'Ik werd voor hoer aangezien. Dat valt helemaal niet mee.'

'Ze dachten dat je escort was. Dat is best *classy*, hoor.' Ze draait met haar vingers door haar krullende lokken. Kan de verleidknop ook uit? Ik ben een vriendin, geen potentieel projectje.

Ik neem een flinke teug wijn. Ik mis mijn vriendinnen in New York, die zouden mij wel begrijpen. 'Ze hebben mijn "doos" gezien.'

'Doos? Dat kun je echt niet zo noemen hoor,' lacht Sandra. 'Je bent zo'n buitenlander.'

'Hoe moet ik het dan noemen? Spleetje?'

Sandra verslikt zich in haar wijn. 'Dat is nog erger dan doos. Je bent geen drie jaar meer. Spleetje? Hoe kom je erbij?'

Ik ben bang dat mijn moeder het vroeger zo noemde, denk ik. 'Zeg het maar. Hoe moet ik *downunder* noemen?'

'*Downunder*, helemaal perfect. Dat doet mij aan *Grease*

denken. Kun je je nog herinneren dat we die film steeds opnieuw wilden bekijken?'

'Ja, lekker makkelijk is dat. Nu weet ik nog steeds niet wat het Nederlandse woord is. Je wordt bedankt.' Ik leun achterover op de bank. 'Hoeveel meiden komen er zo meteen?'

'We zijn met z'n achten...' De deurbel geeft het geluid van een harde toeter en Sandra springt direct op van de bank. Ze jogt de kamer uit om open te doen. Allemaal koopgekke meiden, had Sandra uitgelegd, het zou de beste manier voor mij zijn om hier te integreren in Nederland. Sandra vindt dat ik veel te weinig Nederlandse vrienden heb, en daarom moest ik vanavond komen om wat nieuwe mensen te leren kennen. Sandra en ik zijn oude buurmeisjes en vroeger speelden we veel samen. Zij speelde graag met barbiepoppen en tot haar grote ergernis gaf ik aan de poppen het liefst rekenles. Ik kan me goed herinneren hoe ze dan haar vingers in de oren van de pop stopte zodat Barbie mij niet kon horen.

'Hi, ik ben Betty.'

Ik schrik op. 'O, hallo. Ik ben Emma.' Ik had niet door dat de huiskamer van Sandra ineens afgeladen is met haar vriendinnen, wat niet lastig is in dit Amsterdamse poppenhuisje van vijftig vierkante meter.

'Jij bent de beroemde Emma uit New York? Jij hebt over de hele wereld gewoond, toch? Echt zo stoer.' Sandra past minstens vier keer in Betty en heeft duidelijk een andere kledingsmaak. Betty ziet eruit als een echte dorps-Amerikaanse met haar oversized capuchontrui en joggingbroek.

Ik schaam me een beetje omdat ik nog nooit van 'Betty' heb gehoord, terwijl zij al wel wat over mij lijkt te weten. 'Betty, zei je? Ja, *sounds familiar*.'

'Wat cool. Je spreekt zo mooi Engels, om jaloers op te worden.' Ze ploft naast me op de bank neer waardoor ik om-

hoog veer. Mijn glas weet ik nog net recht te houden.
'Niets om jaloers op te zijn. Ik heb er niets voor hoeven doen.' Ik sla mijn benen over elkaar en steun met mijn elleboog op de leuning van de suède bank. De andere vriendinnen van Sandra hebben in tegenstelling tot Betty wel hun best gedaan om er leuk uit te zien.
'O. Sandra heeft mij anders verteld dat je zelf een beurs hebt geregeld voor die chique school waar je op hebt gezeten. Klopt dat dan niet?' Ze laat nog net niet haar tanden zien, haar toon geeft me het gevoel dat ik iets verkeerds heb gezegd. Met deze meid wil ik geen ruzie krijgen.
'Ja, dat klopt. Maar het helpt natuurlijk wel als je altijd op internationale scholen hebt gezeten.'
'O, nou – zo had ik er nog niet naar gekeken.' Ze is even stil, is het nu mijn beurt om iets over haar te zeggen?
'En hoe is het met jou?' Open vragen stellen werkt altijd goed als je even niets weet.
'Hoezo? Heb je iets gehoord? Wat heeft Sandra je verteld?' Ze gaat in de aanval.
'Nee, niets. Ik ben wel benieuwd naar de Tupperwareparty,' verander ik van onderwerp. 'Ik moet eerlijk zeggen dat ik niet echt *into* Tupperware ben.'
Betty buldert van het lachen en de andere meiden kijken verschrikt op. Fijn dat ik vanavond met deze *lunatic* op de bank zit en dat de leuke hippe meiden aan de andere kant van de kamer hangen. 'Je bent niet de enige, hoor. De meeste meiden hier zijn er niet zo van.'
'Waarom zijn ze hier dan?'
'Gewoon, net zoals jij: nieuwsgierig.'
'Ik ben eerlijk gezegd ook niet nieuwsgierig. Ik kook nooit. Ik kan niet koken, ik wil niet koken en ik heb er ook helemaal geen tijd voor. Laat staan dat ik restjes overhoud om in doosjes te bewaren?'

'*Girl*, jij denkt dat dit een echte Tupperwareparty is?' Ze begint nu nog harder te lachen dan zojuist en ze staat moeizaam op van de bank. 'Emma denkt dat ze op een echte Tupperwareparty is. Ze denkt dat Sandra plastic doosjes verkoopt.' De andere meiden zie ik op deze mededeling voorzichtig lachen en ik grinnik maar schaapachtig mee.

'Luister je dan nooit naar mij?' Sandra staat voor mijn neus en kijkt me boos aan. 'Nu moet je voor straf heel veel kopen. Jij verdient het meeste van iedereen.'

'Oké, ik zal iets aanschaffen. Wat ga je me aansmeren?'

Ze zet een diadeem met duivelsoren op haar hoofd. 'Seksspeeltjes,' roept ze.

Ik houd iets ondefinieerbaars in mijn hand en probeer te bedenken hoe het zou moeten werken. Het is een langwerpig roze geval met aan de bovenkant een 'toefje' dat mij doet denken aan slagroom op een taart. Ik knijp met mijn vingers in de bovenkant van het slagroomtoefje en het voelt zachter aan dan ik verwacht had. Dit is best geinig. Op de tafel ligt een blauw apparaat, dat op een vinger lijkt en de verrassende naam 'Stimulerende Vinger' heeft gekregen. Een ander apparaat lijkt als twee druppels water op Nijntje: een groot roze konijn dat volgens de verpakking 'Vibrerend Konijn' heet. Je zou het per ongeluk zomaar voor je kinderen kunnen kopen en er thuis pas achter komen dat het multifunctioneel speelgoed is. Er bestaan mensen die dit soort dingen voor hun werk ontwerpen. Misschien raakte degene die dit bedacht, geïnspireerd toen hij een boekje van Dick Bruna aan zijn kinderen voorlas.

'Zie je wel dat je nieuwsgierig bent.' Betty staat achter me en van schrik laat ik het 'geval' los zodat het op de grond valt.

'Ik weet niet eens wat het is.'

'San, kom hier!?' gilt Betty. Kan ze niet op een normaal

volume praten? Sandra is de andere meiden naar buiten aan het begeleiden. Ze heeft voor een vermogen verkocht. Ik wist niet dat ze zo'n *sales*tijger was.

'Ik kan gaan backpacken,' roept Sandra vanuit de hal. Ze komt met een grote hoeveelheid cash in haar handen de kamer weer binnenwandelen. 'Ik heb voldoende geld om het een tijdje in het buitenland uit te zingen.'

'Ik ben zo trots op je.' Betty rent op haar af en ik voel de vloer van het appartement deinen. Betty stampt als een olifant. Ze tilt Sandra in de lucht.

Als de innige omhelzing is afgerond gaan we op de bank zitten. 'Wist je dat Emma laatst voor hoer werd aangezien?' Ik staar verbijsterd naar Sandra. Dit is de laatste keer dat ik haar iets in vertrouwen vertel.

Betty giert het opnieuw uit van het lachen. Haar rossige haren springen op en neer met haar schokkende lachende lichaam. 'Emma, als hoer? Dan zeker wel een dure escort hoop ik?' De steen in mijn maag lijkt met de seconde te groeien.

'San, ik heb het je in vertrouwen verteld.' Ik heb het gepikeerde toontje in mijn stem niet onder controle.

'Ik ben te vertrouwen, hoor.' Oeps. Betty heeft echt een kort lontje. 'Ik ben de beste vriendin van San,' poneert ze. 'Ik zal het je sterker vertellen: ik heb ook zoiets meegemaakt.' Ik zie geloof ik tranen in haar ogen springen. Ze heeft eigenlijk best schattige sproetjes op haar neus. Met twee staartjes zou ze op een stevige Pippi Langkous kunnen lijken.

'O, echt? Ben je ook voor hoer aangezien?' Ik ben opgelucht dat ik niet de enige ben op deze aardbol met zo'n gênant verhaal.

'Nee, natuurlijk niet,' jubelt Betty en Sandra hikt mee. De lachtranen stromen over Betty's wangen. Ze veegt ze met haar mouw weg.

'En bedankt, dames. Zullen we het ergens anders over hebben?' Ik schenk mijn glas vol witte wijn en neem een grote slok.

'San, wil je mee op bootcamp?' Betty klinkt ineens als een peuter die om een snoepje vraagt. 'Het kost maar vijfhonderd euro voor een week. Een leuke vakantie voor ons samen.'

'Vijfhonderd? Daar kan ik weken van leven op reis. Sorry, maar dat kan ik echt niet betalen. En waarom zou ik naar bootcamp moeten?' Dat laatste zegt ze iets zachter.

'Ik wil niet in mijn eentje.' Betty buigt haar hoofd alsof.... Gaat ze nu echt huilen?

'Emma kan dat wel betalen.' Sandra knikt aanmoedigend naar me. *No way.* Ik ga echt niet met die gek op bootcamp.

'Emma, jij zeurt altijd dat je wat strakker in je vel zou willen zitten. Voor je het weet lig je weer bij iemand in bed en dan ben je niet afgetraind.'

'Dank voor het compliment, San.' Ik moet aan Randall denken. Zou hij mij aantrekkelijker vinden als ik iets strakker was?

'Ik ben trots op je Betty. Ik vind het goed van je dat je naar bootcamp wilt gaan. Zijn er geen andere vrienden die met je mee willen gaan?'

'Al mijn vrienden zijn al afgetraind.' Wie heeft er vrienden die allemaal afgetraind zijn? denk ik. Waarschijnlijk heeft ze naast Sandra geen andere vrienden.

Ze kijken mij allebei vragend aan. Betty's waterlanders rollen bijna over haar wangen. Ze doet me nu denken aan de tekenfilm van vroeger met het meisje dat altijd een traan in haar ogen had. Hoe heet dat kind ook alweer. Candy? 'Ik zal erover nadenken,' hoor ik mezelf zeggen. *Why?* Ik weet zeker dat ik niet ga. Betty springt boven op me en knuffelt me. Nog iets langer en ze perst ieder beetje lucht uit me. Om dit soort '*girl on girl action*' heb ik niet gevraagd.

'O, wat fijn dat je met me meegaat.' Ze pakt met haar linkerhand mijn zij en met rechts knijpt ze in mijn bovenarm.

'Ja, je kunt wel wat spierkracht gebruiken.'

Ik duw haar van me af en ze landt met een plof en een chagrijnige blik aan de andere kant van de bank. 'Ik heb nog niets beloofd. Ik moet erover nadenken.'

'Daar ben ik al blij mee.' Haar ogen twinkelen alweer. 'Dat betekent heel veel voor me. Door alle verhalen die ik de afgelopen jaren van Sandra over jou gehoord heb, voelt het alsof ik je goed ken. We zijn allebei buurmeisjes van Sandra geweest, alleen helaas niet tegelijkertijd. We zijn verbonden met elkaar door het universum.'

'Hoe gaat het met de mannen?' vraagt Sandra mij. Ik kijk haar dankbaar aan. Ik ben blij dat ze van onderwerp verandert. 'Gaat wel. Voordat ik voor escort werd aangezien in het hotel heb ik weer de nacht doorgebracht met mijn baas.'

'Oeehh, wat romantisch! Je gaat trouwen met je baas!?' Betty klapt enthousiast in haar handen.

'Nou, eigenlijk niet, hij is al getrouwd,' biecht ik op.

'Dat wist je al weken geleden,' zegt Sandra onsympathiek. 'Zijn vrouw was toch vreemdgegaan met de buurman. Als hij gaat scheiden, mag jij gewoon met hem scharrelen.'

'*You go girl*,' blèrt Betty.

'Maar afgelopen weekend zag ik allemaal lieve berichtjes van zijn vrouw in zijn telefoon, dus volgens mij gaat hij helemaal niet scheiden.'

'Wat?' Betty kijkt me met grote ogen aan. 'Heb je in zijn telefoon gekeken? Dat kan echt niet, Emma.'

'In zijn telefoon kijken kan niet, maar seks met hem hebben is wel oké?' Ik snap er niets van, de normen en waarden van Betty zijn heel vernieuwend.

'Precies. Hij gaat vreemd met jou, jij bent niet verantwoordelijk voor zijn vrouw. Dat is zijn pakkie-an. Sms'jes lezen in zijn telefoon vind ik onvergeeflijk. Als mijn vriend dat doet, maak ik het uit.' Ze zegt het zo stellig dat ik geloof dat ze dat ook daadwerkelijk zou doen.

'Ik denk dat als Matthieu jouw *Whatsapp*-berichtjes leest, hij het waarschijnlijk zelf uitmaakt,' zegt Sandra lachend.

'Ik ben goudeerlijk tegen Matthieu. Wat er op *Whatsapp* gebeurt is niet vreemdgaan, dat zijn maar berichtjes.'

'Maandag op kantoor zeg ik tegen Randall dat het voorbij is.'

'Kom op, zeg. Leef eens een keertje. Doe nou niet zo stijf, Emma. Is die Randall aantrekkelijk?' vraagt Sandra.

'Ja, extreem aantrekkelijk. Ik kan niet normaal nadenken als hij naast mij staat. Laatst maakte ik een enorme blunder met een verkeerde berekening. Maar dat verandert niets, als hij niet gaat scheiden dan is het een ordinaire affaire en daar heb ik geen zin in.'

'*Girl*, je bent verliefd,' loeit Betty. Ik vind het bloedirritant dat ze steeds '*girl*' zegt. Ze spreekt het niet eens goed uit.

'Ja, Emma. Je moet hem niet laten gaan. Dit klinkt als echte liefde. Hij neemt je iedere week mee uit eten in de chicste restaurants van Amsterdam en jullie zijn samen naar Parijs geweest. Je straalt als je zijn naam zegt, zo heb ik je nog nooit gezien.' Ze gooit het roze seksspeeltje naar me. 'Deze koop je en je gaat hem verleiden. Je moet ophouden zo'n saaie muts te zijn.'

Ik wrijf over het zachte slagroomvormige puntje. 'Hij is wel heel leuk.'

'Precies. Zo vaak komt ware liefde niet voorbij. Je moet ervoor gaan.'

'*Put yourself out there, girl*,' kirt Betty in gebroken Engels. Mijn maag draait zich om.

'Ik zal erover nadenken.' Misschien doet Randall wel heel

lief tegen zijn vrouw om het financieel allemaal geregeld te krijgen met haar. Ik weet zeker dat hij me leuk vindt, zoals hij naar me kijkt... Misschien is het wel echte liefde, maar gewoon met een ingewikkeld begin?

'Jeetje, wat denk jij veel na, *girl*. Volgens mij betekent "nadenken" in jouw wereld dat je even later "ja" zegt.' Ze doet haar twee duimen omhoog. 'We gaan dus op bootcamp, *yes!*'

4

'En, Emma, vond je het ook zo'n leuk bedrijfsuitje?' Randall hangt achterover op zijn bureaustoel en plaatst zijn voeten op het bureau. Hij ziet er weer onweerstaanbaar uit in zijn *Italian snit* pak. Hij heeft zich vanochtend geschoren, ik zou met mijn handen over zijn gezicht willen aaien. 'Waarom ben je zo vroeg weggegaan? Ik had graag nog een ochtendknuffeltje gehad.' Hij geeft me een knipoog en er ontstaan kuiltjes in zijn wangen.

Ik kijk achterom of niemand het hoort. De deur is dicht. Ik haal opgelucht adem. 'Ik wilde graag naar mijn eigen kamer.' Ik twijfel nog steeds of ik aan hem moet vragen of hij in scheiding ligt met zijn vrouw. Ik heb er heel het weekend over nagedacht en nog steeds weet ik niet wat ik erover moet zeggen.

'Ik had je sleutelkaart nog zo goed verstopt. Hoe ben je eigenlijk je hotelkamer binnengekomen?'

'Gewoon, met hulp van de receptie.' Mijn hoofd moet knalrood kleuren, ik kan zo slecht liegen. Ik voel in een automatisme aan mijn neus, mijn moeder zei vroeger dat ze mijn neus zag groeien als ik loog.

'Kom eens wat dichterbij. Ik voel afstand, liefje.' Hij wenkt me met zijn hand. Ik kijk achterom.

'Doe niet zo paranoia. De deur is dicht en ik heb tegen

Els gezegd dat ik niet gestoord mag worden. We hebben alle rust.'

Ik loop voorzichtig naar zijn bureau en sta vertwijfeld voor hem. Hij staat op om naar me toe te komen en ik weet nog steeds niet wat ik tegen hem ga zeggen. Als hij me aanraakt ben ik verloren, ik moet iets bedenken en snel. Er klopt iemand op de deur en met een ruk zwaait die open. Chris staat met een rood hoofd in de kamer. 'Ik heb je advies nodig, Randall.' En toch voel ik teleurstelling.

'Sorry, Randall. Ik probeerde Chris...' Els staat met haar handen in de lucht in de deuropening.

'Maakt niet uit, Els. Ik loop met je mee, Chris.' Randall rent zijn kantoor uit achter Chris aan. Ik staar naar zijn gespierde kont. Zou hij sporten? Wat weet ik eigenlijk weinig van hem. Ik fantaseer dat we samen naar de sportschool gaan. Hij lift gewichten en ik ren heel sportief op een loopband. Ik heb een heel mooi strak pakje aan, en hij moet de hele tijd naar me kijken. Best gek dat we het nooit over sporten hebben gehad de afgelopen maanden, terwijl we samen zo veel lichaamsbeweging hebben gehad. Mijn onderbuik trekt samen als ik denk aan al die middagen en avonden die we samen hebben doorgebracht tussen de lakens.

'Blijf je hier wachten?' Ik schrik op uit mijn dagdroom. Het is Els, ze kijkt me vragend aan.

'Ja, ik wacht. Ik zal ondertussen wat mailtjes afwerken.' Ik vis mijn iPhone uit mijn tas en zie dat het roze seksspeeltje naar mij lonkt.

'Oké, dat is prima. Als je nog iets te drinken wil, laat het me even weten.' Hmmm. Aan zo'n personal assistant zou ik kunnen wennen.

'Nou, doe mij maar een *latte*.'

'Ik haal wel even een lekkere koffie buiten, oké?' Els begrijpt heel goed wat ik nodig heb.

'Ja, perfect. Lekker.'

Zodra Els de deur uit is, vis ik het seksspeeltje uit mijn tas. Ik bestudeer het pakketje. Het wordt inderdaad tijd dat ik niet meer zo'n saaie muts ben. Ik volg het advies van Sandra op en probeer niet te denken aan de sms'jes van Randalls vrouw. Ik loop naar het bureau van Randall en haal post-its uit zijn lade. *'Zullen we dit een keer uitproberen? Xje Em'* Nee, niet goed. Dat lijkt te veel op 'jouwveer', ik wil niet geassocieerd worden met zijn vrouw. Ik verscheur de post-it. *'Hou jij ook van spelletjes? XO XO E.'* Ik plak de post-it erop en stop het pakketje in zijn tas. Daarna ga ik snel op de stoel zitten. Mijn hart klopt in mijn keel.

'Wat een paniekzaaier is die Chris. Er was niets aan de hand.' Randall wandelt de kamer in. 'Waar waren we gebleven?' Met een ruk trekt hij me uit zijn stoel. Ik voel zijn hand om mijn middel en hij perst zijn lippen tegen de mijne. Wat is dit hemels. Ik weet dat ik hem eigenlijk moet wegduwen. We zijn op kantoor en ik moet naar de status van zijn huwelijk vragen. Dit kan niet. Het is ontzettend amateuristisch, maar ook zo heerlijk.

'O Randall,' kreun ik. Misschien is dit overdreven, maar ik kan het niet onderdrukken. Mijn gezonde verstand heb ik vandaag niet bij me.

'Ik vind je zo lekker, lieverd.' Hij knijpt in mijn slappe billen. Misschien moet ik toch maar op bootcamp? Zijn hand verplaatst zich naar voren en ik hou het niet meer. Zoenen oké, maar ik ga niet seksen op zijn kantoor. Ik doe het niet.

'Lekkere koffie,' zingt Els als de deur openzwaait. Mijn *latte*. Waarom had ik dat ook aan haar gevraagd? Randall laat mij direct los en loopt van mij vandaan. Ze zet twee kartonnen bekers koffie neer op zijn lege bureau. Ik trek mijn rokje recht.

'Precies wat ik nodig heb, Els, heerlijk.' Hoe houdt hij zich alsof er niets aan de hand is? Hij is niet eens van kleur verschoten. Mijn lipgloss op zijn gezicht geeft wel iets weg, maar hij leunt zelfverzekerd tegen zijn bureau waardoor het nauwelijks zichtbaar is, de scherpe lichtval helpt ook mee. Els stopt met haar vingers een pluk haar achter haar oren. Het was me niet eerder opgevallen dat haar oren lichtjes naar voren staan, vandaar dat ze altijd haar haar los draagt.

'Ik weet toch wat je lekker vindt.' Hoor ik een sarcastische ondertoon bij Els? Els is zo aardig, ik hoor het waarschijnlijk verkeerd. Met een klap valt de deur dicht en we zijn weer met z'n tweeën.

'Oeps,' zegt Randall met een ondeugende blik. En dan slaat hij met zijn vuist op zijn houten bureau en begint hij hard te lachen. 'Dat ik dit nog mag meemaken op mijn leeftijd.' Hij lijkt wel trots.

'Ik vind het niet zo grappig, eerlijk gezegd.'

'Els weet dat ik in scheiding lig. Maak je niet druk.' Hij haalt zijn schouders op.

'O, ik dacht dat ik de enige was.' Bleh. Waarom klink ik zo jaloers?

'Els weet zelfs wat jouw lievelingskoffie is. Wat is het toch een attente meid. De beste assistent die ik ooit gehad heb.' Ik bespeur bewondering in zijn stem en dat is niet gek want ze is een knappe verschijning, dat zie ik ook wel. Alleen heeft ze altijd van die lage truitjes aan waar haar borsten bijna uitvallen, erg *classy* kun je dat niet noemen.

'Ze vroeg net of ik iets wilde drinken en ik had om een *latte* gevraagd.' Zo attent is ze ook weer niet.

Randall grijnst. Ik smelt als hij zo naar mij kijkt. 'Niet zo handig om mij te bespringen als je weet dat mijn assistent ieder moment koffie komt brengen, dame.'

'Jij besprong mij,' reageer ik.

'Ja, ja. Dat valt te betwisten.' Hij komt weer mijn kant op, bij iedere stap die hij zet klopt mijn hart harder. Hij gaat achter me staan en begint mijn schouders te masseren. 'Wat ben je gespannen.'

'Straks komt er weer iemand binnen.' Ik voel mijn spieren direct ontspannen.

'De baas mag zijn liefste medewerkster toch wel een massage cadeau geven. Dat noemen we tegenwoordig secundaire arbeidsvoorwaarden. Ik moet goed met mijn personeel omgaan.'

'Nee.' Ik sta op en draai me om. 'Ik wil geen risico lopen.' Ik onderdruk de neiging om aan mijn nagels te pulken en wrijf daarom met mijn duim over mijn wijsvinger.

Hij knikt gehoorzaam. 'Maak je niet druk, ik weet het goed gemaakt. Laten we deze week nog intiem afspreken. Ik mail je nog welke avond, oké?'

'Dat lijkt me inderdaad beter.'

'Ik weet nog wel een leuk hotel met hemelse bedden. Daarna gaan we eten in de lounge of we bestellen roomservice.' Hij geeft me weer een knipoog en ik vraag me af of ik me hieraan ga ergeren. 'Ik heb daar wel eens het bed gedeeld met het mooiste meisje ter wereld.' O nee. Hij wil toch niet in het Excelsior Hotel afspreken?

'Dat lijkt me niet zo'n goed plan.' Ik ben als de dood om die portier, of nog erger, Barry tegen te komen.

'Waarom wil je daar niet afspreken? Ik heb er goede herinneringen aan. Daarnaast heb ik een goed prijsje geregeld daar.'

'Het is een beetje ver van mijn huis,' verzin ik.

'Ik wil ook bij jou langskomen.' Dat is beter. Of toch niet? Zo meteen komt mijn moeder weer eens onaangekondigd logeren.

'Laten we in het hotel afspreken.'

Hij pakt mijn hand vast en trekt me naar zich toe. Zijn warme lippen voel ik landen op de mijne. Ik doe mijn ogen dicht en laat me even gaan.

'Dit is de voicemail van Emma Schelp, laat een bericht achter na de pieptoon,' zeg ik.

'Hallo? Ik hoor geen piep. Ben je daar lieverd?' Ik hou mijn telefoon iets van mijn oor af. 'Jammer dat ik je niet persoonlijk kan spreken. Ik heb echt een hekel aan deze apparaten,' ratelt ze door.

'Dag moeder.'

'Huh? Ben je daar? Ik begrijp er helemaal niets van. Ik was net je voicemail aan het inspreken.'

'Wat gek joh.' Ik grinnik in mezelf.

'Wat ben je aan het doen? Waarom moet je lachen?'

'Niets. Belde je ergens over?' Bij mijn moeder kan ik het best direct ter zake komen want anders zit ik een uur later nog steeds met haar aan de telefoon.

'Poeh. Het is een toestand, hoor.' Ze slaakt een zucht. 'Je begrijpt het wel.'

'Ja, inderdaad.' Ik durf niet te vragen wat een toestand is. Mijn moeder mailt me iedere dag hele verhalen. Ze kan toch niet verwachten dat ik die allemaal lees? Ik knik begrijpend mijn hoofd alsof ik bang ben dat ik mezelf anders verraad. Mijn neus kriebelt.

'Ik verwacht dat ik over anderhalve week even op bezoek kom. Hoe lang ik blijf hangt af van het schema van je vader. Ik ben liever bij jou in Amsterdam als hij niet hier is.'

'Gezellig,' zeg ik zo enthousiast mogelijk. Ik moet denken aan de tijd dat ze te pas en te onpas in New York verscheen en verwachtte dat ik iedere minuut met haar door zou brengen. Ik woonde gelukkig in een *dorm*, waardoor ze niet bij mij kwam logeren. Hier in Amsterdam heeft ze een eigen slaapkamer en ik kan haar moeilijk weigeren in haar eigen appartement. Mijn ouders hadden destijds voor mijn broer en mij dit penthouse gekocht in hartje Amsterdam, zodat we in Nederland konden studeren. Uiteindelijk hebben we tijdens onze studententijd geen gebruik gemaakt van het luxe vierkamerappartement. Het heeft drie verdiepingen met uitzicht over de Prinsengracht en een enorm dakterras met uitzicht over de gehele stad.

'Maak je het huis wel schoon, kind? Ik heb geen zin om te poetsen.'

Mijn nekharen staan recht overeind. 'Ik heb een schoonmaakster, mam.'

'Denk maar niet dat dat voldoende is. Die maken alleen schoon voor het oog. Kijk maar eens achter de kast. Of haal je vinger langs een plint.' Ik haat het als mijn moeder over schoonmaken begint.

'Ik heb een heel goede.' Terwijl ik het zeg ga ik met mijn vinger langs het randje bij de verwarming. Mijn vinger ziet zwart van een stoflaag, zo dik dat het wel lijm lijkt. Ik ren naar de kraan in de woonkeuken om mijn vinger schoon te spoelen.

'Je vader heeft altijd al gezegd dat de opvoeding door de *baboe* jullie zou verpesten.' Een *baboe* is de naam voor *nanny* of kindermeisje in Indonesië, die vanaf mijn vierde jaar voor mij zorgde. Ik wil zeggen dat de opvoeding mijn moeders verantwoordelijkheid was en niet die van de *baboe*. Haar naam was trouwens Atin, maar dat weet mijn moeder natuurlijk niet meer.

'Ik vind het zonde van mijn tijd. Ik heb het hartstikke druk op mijn werk.'

'Je bent er wel de komende tijd?'

'Ik ga misschien op bootcamptraining met een vriendin.'

Je kunt beter een ander keertje langskomen.'

'Dat klinkt leuk. Zou het iets voor mij kunnen zijn? Ik wil ook wel wat kilo'tjes kwijt.' Ik had dit kunnen weten, mijn moeder is altijd op zoek naar de laatste rage op het gebied van afvallen. Laatst had ze mij gevraagd via Tellsell *Insanity*-dvd's voor haar te bestellen want ze durft *online* geen producten te kopen. Ik moest het heel omslachtig namens haar kopen en doorsturen naar Parijs, voor die prijs had ze net zo goed een maand een personal trainer kunnen inhuren. Ze heeft me er iedere dag over gestalkt. 'Heb je het al binnen?' 'Wanneer stuur je het door?' Ik werd er gek van.

'Jij doet toch *Insanity*?' vraag ik.

'O ja, dat moet ik inderdaad nog uit de verpakking halen.' Mijn hand balt zich tot vuist. Ze heeft het dvd-pakket nu al zeker twee weken in huis liggen.

Mijn moeder ratelt door: 'Het lijkt me enig. Stuur je me een linkje met dat bootcampgebeuren? Dan ga ik het verder onderzoeken op de computer.'

'Zal ik doen,' zucht ik.

5

'Doe geen dingen die ik ook niet zou doen, San.'

'Wees maar niet bang. Ik doe alles wat God verboden heeft,' tettert haar stem in mijn oor. Dat zal niet eens ver van de waarheid zijn. Ik sta in een ingebouwde Engelse telefooncel te bellen, wat leuk dat die dingen weer gebruikt kunnen worden. Zou het een echte telefooncel zijn geweest? Op de achtergrond hoor ik een omroepstem en de geluiden van Schiphol en ik besef dat mijn enige vriendin in Nederland weggaat. Ik krijg spontaan zin om ook in een vliegtuig te stappen. 'Wees voorzichtig, meis.' Ik begin steeds meer op mijn moeder te lijken.

'Maak je geen zorgen.'

'Heb je het geld voor Atin bij je?' Op de valreep nog wat geld meegegeven voor mijn vroegere *nanny* met wie ik nu Facebookvrienden ben.

'Ja, ik beloof je plechtig dat ik het niet zal opmaken.'

'Ik moet echt ophangen want ik heb die belangrijke vergadering.' Ik hups heen en weer op mijn benen van spanning.

'Als ik terug ben gaan we champie drinken op jouw promotie, oké?'

'Goede reis. Wanneer ben je weer terug?'

'Geen idee. Als het geld op is.' Haar antwoord verbaast me niets, San is een echte *free spirit*.

'O. Ik word omgeroepen, iets met *unload baggage*. Of zo. Daaag.' *Typical*. Natuurlijk is ze te laat. Dat zou mij nooit overkomen. Ik hang op en ga snel het hokje uit naar de vergaderzaal.

'Goedemorgen,' roep ik als ik binnenkom. Ik schenk koffie uit een kan in een kopje, mijn behoefte aan cafeïne is groter dan de kwaliteitseisen van mijn smaakpapillen. Vanuit mijn ooghoek zie ik dat Randall nog naarstig op zijn telefoon aan het typen is. Mijn hart maakt een salto als ik hem zie. Ik ben nog net op tijd, hij moest natuurlijk sowieso op mij wachten.

Els zit naast me en heeft een grijze haltertop aan met glitters, ze ziet eruit alsof ze naar de Jimmy Woo gaat. Aan haar tepels die door het topje heen priemen is duidelijk te zien dat de airco zoals altijd is ingesteld op niveau koelkast. 'Is er iets?' Ze kijkt me vragend aan.

'Nee, hoezo?' Ik ben bang dat mijn wangen kleuren en dat ze mijn gedachten kan lezen.

'Spannend, hè? Ik ben benieuwd wie de manager van de afdeling wordt.'

'Ja, ik ook. Erg spannend,' lieg ik. Ik vind het helemaal niet spannend. Randall heeft mij drie maanden geleden al beloofd tijdens mijn fantastische en uit de hand gelopen beoordelingsgesprek dat ik die baan zou krijgen. Daarnaast heb ik in het afgelopen half jaar de beste omzet van de hele afdeling binnengehaald. De promotie die op me wacht is zo klaar als een klontje.

'Ik hoop dat het eindelijk een vrouw wordt. Er zijn veel te weinig vrouwen in topposities.' Dat Els feministe is, is het laatste dat ik van haar had verwacht. Ik kijk nog eens naar haar topje met glitters, haar ene tepel wijst omhoog en de andere omlaag.

'Zolang je die toppositie maar niet krijgt omdat je vrouw

bent. Ik wil een positie krijgen omdat ik de beste kandidaat ben, niet om mijn geslacht,' reageer ik.

Ze grijnst naar me. 'Ik zou bij jou verwachten dat je die toppositie horizontaal bemachtigt.' Ik denk terug hoe ze met mijn *latte* kwam binnenwandelen. Ik kan het haar eigenlijk niet kwalijk nemen dat ze die gedachte heeft.

'Ja, inderdaad. Dat zou je bij mij verwachten.' Wacht maar af, ik word dadelijk de nieuwe manager en dan zal ze een toontje lager zingen. Macht helpt in deze business.

Randall staat op en begint aan een niet verrassende speech over de resultaten van het bedrijf. Eindelijk komen de verlossende woorden: 'Zoals jullie weten zal ik vandaag de nieuwe manager bekendmaken. De nieuwe manager is iemand die van aanpakken houdt, het is er eentje met een solide karakter. Ik vertrouw de nieuwe manager blind.' Hij trommelt met zijn vingers op de vergadertafel, Randall had tv-presentator moeten worden. De spanning is om te snijden in de zaal en ik sta klaar om op te staan. 'De nieuwe manager is: ... Chris.'

Ik spring op uit mijn stoel en de hele zaal kijkt naar mij. Zei hij 'Chris'? Shit. Ik kan nu moeilijk weer gaan zitten en ik zie dat Chris vertwijfeld opstaat. '*Hurray* voor Chris,' roep ik uit. Ik begin in mijn handen te klappen. Godzijdank zitten er allemaal schapen in de zaal die al snel mee gaan klappen. De geamuseerde ogen van mijn collega's prikken op mijn lichaam. 'Chris, je hebt het verdiend jongen.' Wat zeg ik nu? Mijn benen lopen naar hem, en als ik voor hem sta pak ik zijn hand om die te schudden, mijn andere hand zie ik op zijn schouder landen om hem een klopje te geven. Ik begin steeds meer op een kerel te lijken, denk ik. Ze zeggen dat vrouwen in topposities zich mannelijker gaan gedragen. Nee, zo'n vrouw ben ik niet en wil ik nooit worden. En die toppositie zit er blijkbaar ook niet aan te komen. Chris kijkt mij ongemakkelijk aan. Is dit het moment dat hij gaat speechen? 'Speech,' roep ik uit.

'Wat leuk dat je een speech voor mij hebt voorbereid,' antwoordt Chris zonder sarcasme in zijn stem. Nee, idioot, ik had een speech voor mezelf voorbereid. Chris heeft weer blosjes op zijn wangen en ik ruik die zurige zweetlucht, hij kan zijn eigen promotie niet aan.

'Emma, heb jij een speech voorbereid?' vraagt Randall. 'Je bent echt van de Amerikaanse school, dat is duidelijk. Speechen is doodgewoon in de US.' De groep collega's aan de vergadertafel kijkt naar het schouwspel. Zou iemand hier doorhebben dat ik eigenlijk deze promotie verdiende?

'Je moet niet overdrijven, Randall. Echte goede speeches worden uit het hoofd gedaan. Ik heb het opgeschreven.' Ik zie mezelf een toneelstukje opvoeren. Zelfverzekerd kijk ik naar mijn collega's die mij verwachtingsvol aankijken, mijn ogen vinden de ogen van Els. De glitters van haar topje creëren dankzij de lichtval het effect van een discobal. Ze kijkt mij strak aan zonder met haar ogen te knipperen en er staat een lach op haar gezicht, er gaat een rilling door mij heen.

Ik haal het briefje dat ik voor mezelf had voorbereid uit mijn binnenzak en lees voor: 'Het is een enorme eer...' Ik zwaai met het blaadje voor de groep. Focus, Emma. 'Chris, je gaat het fantastisch doen. Je bent een fijne collega waarop je altijd kunt vertrouwen, ik waardeer je inzet enorm.' Ik kijk even naar mijn collega's en dit lijkt goed te gaan. 'Je staat altijd klaar voor iedereen. Jouw deur staat altijd open, juist ook als het privé even wat minder gaat.' Ik glimlach vals naar Chris en zie dat hij niet alleen blosjes op zijn wangen heeft, maar dat er ook rode vlekken in zijn hals zijn ontstaan. Zijn deur is altijd dicht en hij is van nature ongeïnteresseerd in andermans gevoelens. 'Ik geloof dat een empatisch mens als jij het beste in mensen naar boven haalt.

Daardoor zullen wij medewerkers in onze kracht komen en de beste resultaten behalen die we voor mogelijk houden.' Iedereen in de zaal begint te klappen en ik hoor zelfs een paar keer een soort gejuich. Ik kijk naar Chris en hij zit verstijfd op zijn stoel.

'Dank je wel, Emma. Dat zijn nog eens mooie woorden voor een collega. Chris, wil jij hier nog iets aan toevoegen?'

'Ik ben sprakeloos.' Hij veegt met zijn vinger onder zijn oog alsof hij een traan wegpinkt. Ik hoor een paar vrouwen 'ahh' roepen, de valse stem van Els voorop. Wat een hufter is dit. 'Zou ik die mooie tekst van je mogen hebben?' Hij probeert het blaadje uit mijn hand te grissen, maar ik zie het net op tijd en trek heel hard terug. Het blaadje scheurt in tweeën. Het gelach, gejuich, ge-ahh- houdt op. Ik hoor nu alleen de afwachtende ademhaling van twintig mensen.

'Mijn handschrift is onduidelijk. Ik zal het voor je uittypen, oké?' Ik pak het andere gescheurde stukje van hem af, en zie tot mijn schrik dat mijn hand trilt.

'Ik stel voor dat we allemaal weer aan het werk gaan. Tijd is geld.' De autoritaire stem van Randall galmt door de zaal.

Iedereen staat op om Chris te feliciteren en ik steven op Randall af. 'Ik wil je nu spreken,' commandeer ik hem. Hoe heeft hij mij zo kunnen misleiden?

'Kan niet, pop. Ik heb een belangrijke vergadering met de raad van commissarissen.'

'Noem me geen pop. Mijn naam is Emma.' Ik schud mijn hoofd en frons.

'Sorry mevrouw Schelp. Of zal ik je mijn mosseltje noemen?'

'Ik heet Emma.'

'Je bent echt boos? Mooi, dan kunnen we het strakjes fijn goedmaken.' Hij knijpt me snel in mijn kont. Ik kijk achterom, en zie dat de haviksogen van Els ons in de gaten houden. Ze steekt haar duim naar me in de lucht en glimlacht zelfingenomen. Als ik een dartpijl had, zou ik die nu naar haar gooien en één van die neptieten laten ontploffen.

'Ik wil niet dat je aan me zit op kantoor en al helemaal niet in het bijzijn van collega's. Els zag wat je deed.' Ik geef hem een duwtje tegen zijn arm.

'O, je houdt van hardhandig. Hmmm, daar kan ik ook wel wat mee.'

'Nee, ik hou niet van hardhandig,' fluister ik.

'Ik vind je lief als je boos bent. Je neusje wipt dan omhoog en je krijgt zo'n schattig stemmetje.' Hij aait over mijn hoofd alsof ik een schoothondje ben.

'Blijf van me af. Ik word gek van je.'

'Missie geslaagd. Jij maakt mij ook gek, ik moet steeds aan je denken. Ik kan niet wachten om mijn tanden in jouw slipje te zetten.' Hij maakt een happende beweging naar mij. Ik deins achteruit. 'Je vond het wel lekker afgelopen weekend, je kreunde best hard.'

'Wie kreunde er?' vraagt Els die opeens naast ons staat.

'Ik vertelde Emma net over die krolse katten bij mij in de buurt,' lacht hij. 'Dat had ik vanochtend toch ook al aan jou verteld?'

'Nee, dat verhaal had ik nog niet gehoord.' Els kijkt op haar horloge. 'Je moet je melden bij de hoge heren, Ran.'

'Je hoort het. We hebben belangrijke verplichtingen.' Els staat klaar met zijn jasje en hij laat zich door haar aankleden. Ze trekt zijn das recht. 'Je ziet er top uit,' zegt ze tegen hem.

'Dank je wel, pop.' Hij noemt *haar* ook 'pop'. De kamer voelt ineens broeierig en de gevoelstemperatuur is binnen enkele minuten van min tien naar plus dertig gegaan. De stemmen van mijn collega's die nog steeds om Chris heen staan, dreunen in mijn hoofd maar ik kan niet ontleden wat ze zeggen. Mijn maag draait en ik heb behoefte aan frisse lucht. Verbluft kijk ik naar het verscheurde papiertje in mijn hand met de speech die ik voor die eikel van een Chris moet uittypen.

6

'Hi schat, kom binnen in mijn nederige stulpje,' zegt Randall als hij de deur opendoet. De witte stevige hotelbadjas staat hem goed. Zijn haar zit een beetje in de war, alsof hij al een tijdje in bed heeft gelegen. Hij buigt zich naar mij toe en geeft onverwacht een warme kus in mijn nek, zijn geur is bedwelmend. Ik ga niet met hem naar bed, dat heb ik me voorgenomen.

'Goedenavond.' Ik wandel de hotelkamer in en neem plaats op de stoel bij het bureautje.

'Jeetje, wat klink je zakelijk, we zijn niet meer op kantoor, pop.'

Hij laat zich op het grote bed vallen en klopt met zijn hand op het matras. 'Kom bij me liggen.'

'Nee. Waarom heb ik die promotie vandaag niet gekregen?'

'O, pop. Is dat het? Ik was al bang dat je me niet meer aantrekkelijk vond, maar dat is natuurlijk onmogelijk.' Hij gaat rechtop zitten. 'Chris werkt al vijf jaar voor me, in anciënniteit is hij jouw meerdere.'

'Tijdens mijn beoordelingsgesprek heb je mij beloofd dat ik de managerspositie zou krijgen.'

'Heb ik dat gedaan? Dat kan ik me niet herinneren. Waarschijnlijk omdat ik me steeds zat voor te stellen wat er onder dat sexy rokje verstopt zat. En wat ik vond was gelukkig de moeite waard.' Hij lacht en mijn aandacht wordt naar de kuiltjes in zijn wangen getrokken. Nee, ik moet me niet laten afleiden.

'Je had het mij beloofd.' Ik kijk hem strak aan.

'Jeetje, als ik had geweten hoe belangrijk dit voor jou was...' Hij gooit zich als een beest op handen en voeten en kruipt over het bed mijn kant op. Zijn badjas glijdt half open en ik zie iets bungelen.

'Ik heb jarenlang ontzettend hard gestudeerd en ik wil nu carrière maken. Dat begrijp je toch wel?' Ik staar naar de traditionele lamp op het houten nachtkastje, het goud glanst door de lichtval.

'Studeren. Dat was lang geleden voor mij.' Hij kijkt voor zich uit. 'Dat was pas een mooie tijd.' Hij grijnst en ik krijg niet het gevoel dat hij aan volle collegezalen of een inspirerende professor denkt.

'Ik ben ook nog de beste van de afdeling, dat kun je niet ontkennen. Ik leid al drie maanden met succes de hele afdeling.'

'Dat klopt. Je bent zeker de beste, dat weet iedereen. Je begrijpt best waarom ik jou de promotie niet heb kunnen geven. Ze zullen dan denken dat er iets tussen ons speelt, dat kan ik er momenteel niet bij hebben.'

'Je bent bang dat anderen denken dat er iets tussen ons speelt?' roep ik uit. 'Dat is de reden dat ik geen promotie heb gemaakt?' Het bloed raast door mijn aderen naar mijn hoofd.

'Zou jij promotie willen maken omdat je de baas hebt geneukt?' Zijn stem klinkt ijskoud.

'Nee, ik wil promotie maken omdat ik het verdien en omdat ik de beste ben van de hele afdeling. En ja, toevallig heb ik ook de baas geneukt. Als ik moest kiezen tussen promotie

en "de baas neuken", dan is het een heel gemakkelijke keuze.'
Ik sta op van de stoel en ijsbeer over het smetteloze rode
hoogpolige tapijt door de kamer.

'En die keuze is…?'

'Moet ik het voor je uitspellen? Ik kies voor promotie.' Ik
heb meteen spijt van de woorden die ik uitspreek. Ik weet
ook niet helemaal zeker of ik wel daarvoor zou kiezen. 'Ik
ben de laatste op deze aardbol die promotie wil maken door
met de baas naar bed te gaan.' Ik voel warme druppels over
mijn wangen rollen en veeg ze snel weg met mijn mouw.
Mijn keel knijpt zich dicht en keert zich tegen me.

'Het is allemaal ingewikkeld, dat begrijp ik,' zegt hij zacht.
'Het is inderdaad niet eerlijk, ik zal een balletje opgooien in
het directieteam dat jij mutabel bent. Dat kan betekenen dat
ik dan niet meer jouw leidinggevende blijf, misschien is dat
ook beter voor ons.'

Ik kijk hem aan. Meent hij dit? Hij kijkt lief naar me en
ik ga opgelucht op het bed zitten. Randall wrijft over mijn
rug en mijn tranen zijn gelukkig snel weg. 'Zou je dat willen
doen?' vraag ik. Ik haat het als mijn stem trilt.

'Voor jou doe ik alles, pop. Ik wist niet dat het zo belangrijk voor je was. Zullen we ons nu bezighouden met het
benutten van deze kamer?' Zijn hand zoekt zijn weg onder
mijn rokje. Mijn bovenbenen spannen zich aan en mijn lichaam hunkert naar meer, maar ik duw zijn hand weg.

'Ik ben niet in de stemming, sorry.' Ik sta op om mijn tas
te pakken.

'O. Dit is best een dure kamer voor een paar uur. Beetje
zonde.' Hij staat op van het bed en pakt mijn hand, trekt
me naar zich toe. Zijn ogen kijken in de mijne, ze lijken
donkerder dan overdag op kantoor. Mijn boosheid is al iets
minder, maar ik doe toch een stap achteruit.

'Ik ga weg,' zeg ik resoluut.

'Blijf bij mij,' zingt hij vals.

Ik moet erom lachen, maar hij kan me niet overhalen. Ik voel me te labiel om hier bij hem te blijven. Ik kijk naar hem en even zie ik mezelf bij hem wegkruipen, getroost worden. Maar hij heeft iets anders in gedachten, dat weet ik. 'Nee, ik ga naar huis.'

'Nou, veel plezier alleen thuis.' Zijn stem klinkt ineens weer ijskoud en er ontstaat een schaduw op zijn gezicht. Ik voel een steek van verraad en pak mijn tas.

'Fijne avond nog in je eentje.' Daar heeft hij niet van terug. Ik gooi de zware hoteldeur met een harde klap dicht.

Ik loop zo snel ik kan over de gang en zoek in mijn tas naar mijn zonnebril. De tranen prikken in mijn ogen. Ik snap er niets van, soms is hij zo lief en zorgzaam maar ineens kan het omslaan. 'Wacht,' hoor ik achter me. Ik kijk achterom en zie Randall in zijn badjas achter mij aan rennen door de lange gang, hij houdt met één hand zijn badjas dicht. 'Ga nou niet weg,' roept hij.

'Ik heb hier geen zin in, Randall.' Ik kijk om me heen of niemand ons ziet. Godzijdank is de gang leeg. 'Ik heb haast.'

'Hoe kan je nou haast hebben? Je hebt met mij afgesproken vanavond.'

'Ik moet nog wat werken,' lieg ik.

'Hou op met die smoesjes.' Hij wrijft met zijn hand over mijn bovenarm. 'Lief, kom met me mee.' Hij staat nu dicht tegen me aan en zijn voorkant prikt tegen mijn onderbuik. Mijn lichaam reageert onmiddellijk. Aan de muur hangt een middeleeuws schilderij met een man in kostuum en een grijze pruik, hij staart mij recht aan alsof hij ziet dat we ons niet helemaal zedelijk gedragen.

'Doe normaal,' roep ik uit. 'We staan in een hotelgang, straks ziet iemand ons.'

'Nou en? Ik wil je nu,' fluistert hij. 'O, er komt iemand aan.

Kun je wat dichter tegen me aan kruipen?' Hij duikt verder tegen me aan en ik verstijf.

'Kan ik u ergens mee helpen?' Ik herken deze stem uit duizenden: mijn moordenaar. Ik verberg mijn hoofd in Randalls nek. Vandaag had ik mijn zonnebril op toen ik het hotel binnenliep en ik had mijn *classy* Claudia Sträter-mantelpak aangetrokken, juist zodat deze man mij niet zou herkennen.

'Nee hoor, we hebben niets nodig,' legt Randall uit. Hij trekt zijn badjas recht. Mijn hoofd tolt, straks herkent hij mij. 'Dank voor het vragen.'

Ik duik in mijn tas en vis mijn zonnebril eruit en zet hem op. 'Laten we terug naar de kamer gaan,' piep ik.

'Ken ik u niet ergens van?' vraagt Barry.

'Dat kan, we hebben hier laatst gelogeerd met een bedrijfsfeest.' Randall houdt zijn badjas dicht en gelukkig is zijn enorme tent verdwenen.

'Nee, deze dame.' Zijn stem is nu resoluut. Hij pakt me bij mijn schouder en draait mij hardhandig om.

'Hé, blijf van mijn vriendin af,' zegt Randall.

'Ik dacht al dat jij het was, ik had toch gezegd dat jij niet welkom bent in dit hotel.' Ik doe een stapje achteruit. Ik ben bang dat hij me straks weer optilt.

'Wat is dit voor onzin. Wij zijn één van jullie beste klanten. Wat is jouw naam? Ik ga een klacht indienen bij het management,' zegt Randall zakelijk.

'Mijn naam is Barry. En ik kan u vertellen dat het management niet gediend is van dit soort praktijken. Dus dien uw klacht maar in, meneer.'

'Wat voor praktijken?' Hij kijkt dreigend richting Barry.

'U weet donders goed wat ik bedoel. Ik kan ook direct de politie erbij halen.'

Ik knijp mijn ogen dicht en doe ze weer open, alsof ik zo een verdwijntruc voor elkaar kan krijgen. Helaas, het werkt niet. 'De politie?' roept Randall uit. 'Ik geloof dat u een enorme fout maakt.'

'U bent net zo hardnekkig als dit kreng hier.' Hij wijst met een worstenvinger naar mij.

'Kreng?' Randall schudt zijn hoofd en loopt rood aan. Ik vind het schattig dat hij het voor mij opneemt. Barry en Randall staan recht tegenover elkaar: een gevecht tussen twee alfamannetjes in voorbereiding. Geruisloos doe ik kleine stapjes achteruit.

'Waar gaat dat heen, dametje?' Shit. Barry had me direct door. 'Ik wil een hartig woordje met je spreken.'

Barry pakt mij bij mijn bovenarm en sleurt me mee, mijn voeten glijden over het zachte tapijt. 'Laat me los,' kerm ik uit. Randall rent achter ons aan en houdt met zijn hand zijn badjas bij elkaar.

Barry stopt. 'Meneer, het lijkt me beter als u terug naar uw kamer gaat. Ik handel dit verder af, maar ik zal wel melding maken van dit incident.'

'Ik begrijp er niets van, zij heeft niets verkeerds gedaan. Ik rende achter haar aan de gang op om haar tegen te houden.' Ik heb Randall nooit eerder zo horen praten. Hij neemt het voor me op. Ik glunder, hij houdt echt van me.

'Ze mag hier niet over de gang wandelen om zakenmannen te versieren. Wij willen geen tippelaarsters hier op de gangen.'

'U denkt dat ze een hoer is.' Randall spuugt deze woorden uit en zijn consumptie vliegt alle kanten op.

'Ik denk niet dat ze een hoer is, ik weet dat ze een hoer is.' Vanuit mijn ooghoek zie ik dat er wat hotelgasten stilstaan in de hal om het spektakel te aanschouwen. Hebben die lui niets beters te doen dan ons aangapen?

'U maakt een fout. Emma werkt voor mij.'

'U wilt toch niet zeggen dat...'

'Nee, natuurlijk ben ik geen pooier. Waar ziet u mij voor aan.' Hij gooit zijn armen in de lucht waardoor zijn badjas losraakt. Hij lijkt nu echt op een potloodventer. Ik hoor wat gegniffel achter mij.

Barry buldert van het lachen. 'Ja ja, dat moet ik geloven?' 'Ik ben Managing Director bij Vertimix. Emma is één van onze beste financieel adviseurs, u maakt een hele grove fout en ik zal het u betaald zetten.' De stem van Randall klinkt alsof hij geen weerwoord duldt, op kantoor zou hierdoor iedereen in het gareel schieten.

'U kunt goed bluffen, deze mevrouw heeft zelfs geprobeerd haar diensten te verkopen aan de portier. Ze had zichzelf aangeboden voor 150 euro per uur.' O nee. Kan ik nog dieper zinken?

Ik probeer mij los te wurmen uit de handgreep van Barry. Tevergeefs. 'De portier had het verkeerd begrepen. Ik legde aan hem uit dat ik 150 euro per uur kost, dat is ook echt mijn uurprijs.'

Randall glimlacht. 'Wat is dit voor idioot verhaal, laat mijn vriendin los.' Zelfs in deze benarde situatie ontstaat er een glimlach op mijn mond als hij mij zijn vriendin noemt.

'Deze dame gaat mee naar beneden,' zegt Barry.

'Em, wacht beneden op mij. Ik zal dit misverstand rechtzetten tot op het hoogste niveau.' Randall jogt met een open badjas terug naar zijn hotelkamer. Barry trekt me aan mijn bovenarm mee en voert me af als een crimineel, en ik voel de priemende blikken van 'sensatiezoekers' op mijn lichaam.

'Hey *girl*. Ik ben direct op de fiets gesprongen na je telefoontje. Gaat het een beetje?' Betty's rode haar lijkt ontploft.

'Ik belde eigenlijk Sandra.'

'Ze heeft haar huistelefoon doorgeschakeld want ze is

vanochtend naar Azië vertrokken.' Betty gooit haar jas over de stoel naast haar.

'Dat weet ik. Het is een gewoonte om haar te bellen.' Ik neem een teug van mijn witte wijn.

Betty legt haar koude hand op de mijne. 'Gaat het wel goed met je? Je was hartverscheurend aan het huilen.'

'Het gaat wel weer goed met me, het is gewoon een klotedag geweest.' Ik trek mijn hand los, pak mijn wijnglas stevig vast en neem een grote slok.

'Vertel.' Betty leunt met haar blote armen op de houten tafel.

'Mijn baas had me een promotie beloofd en die heb ik niet gekregen,' zeg ik emotieloos.

Betty grinnikt. 'Dat doet me aan die reclame van Roosvicee denken.'

'Ik ken die reclame niet,' zucht ik.

'Sorry, ik val je in de rede. Ga door met je verhaal.' Betty knikt mij bemoedigend toe.

'Ik heb het al verteld. Mijn baas heeft mij een aantal maanden geleden beloofd dat ik promotie zou krijgen. Nu heeft die slome Chris promotie gekregen terwijl ik ad-interim-manager was de afgelopen maanden.'

'Ad-interim wattes? Je moet niet van die lastige woorden gebruiken.'

'Ik was de afgelopen maanden vervangend manager, ik moest alleen nog formeel benoemd worden. Dat had vandaag moeten gebeuren.' Ik kijk uit het raam naar buiten en de regendruppels glijden over het glas naar beneden.

'Waarom ben jij het niet geworden?'

'Hij zegt dat hij bang is dat mensen denken dat ik de promotie kreeg, omdat we een relatie met elkaar hebben.'

'Is dat zo?'

'Hij heeft me die promotie maanden geleden beloofd,

want ik ben de beste van de afdeling.' Ik voel de tranen alweer achter mijn ogen prikken.

'Je hebt toch laatst seks met hem gehad?' Gelukkig zitten we in een hoekje aan het raam zodat niemand ons kan horen.

'Ja, maar ik heb me de afgelopen maanden voor niets uit de naad gewerkt.'

'Als ik die baas van jou tegenkom dan geef ik hem een lel,' snuift Betty. Ik visualiseer dat Betty voor Randalls neus staat en hem een klap verkoopt en ik vind het een geweldig idee.

'Dat is lief van je.' Ik glimlach naar Betty en er verschijnen rode koontjes op haar wangen.

Ze steekt haar hand in de lucht naar de serveerster. 'Mag ik iets bestellen?' vraagt ze.

'Natuurlijk,' zegt de blonde dame op een professionele toon.

'Ik wil graag een warme chocolademelk met slagroom en een appeltaartje.'

'Wil je slagroom bij de appeltaart?' vraagt de serveerster.

'Ja graag.' Betty knikt en wrijft haar handen tegen elkaar.

'Ik wil nog een wit wijntje.' Ik reik haar mijn lege wijnglas aan, ze pakt het aan en loopt naar de bar.

'Wil jij geen appeltaart? Ze hebben hier de beste appeltaart van Amsterdam.'

'Wie eet er om tien uur 's avonds nog appeltaart met slagroom?' Mijn maag keert zich om.

'Ikke.' De stem van Betty klinkt kwetsbaar. 'Je mag een hapje proeven.'

'Nee, dank je wel, ik hou het graag bij wijn vanavond. Jij gaat binnenkort toch op bootcamp?'

'Ik heb er superveel zin in, het is volgende week al.'

'Leuk joh.' Buiten lijkt het steeds harder te hagelen, een voorbijganger probeert zijn paraplu in bedwang te houden en lijkt met zijn gewicht erin te hangen. De straat is uitgestorven. Op zaterdag is het juist een uitdaging om überhaupt je weg te vinden door de mensenmassa die de Noordermarkt bezoekt.

'Daarom eet ik nog even een appeltaartje met slagroom. Ik vrees dat we volgende week op hongerdieet moeten.'

'Met wie ga je?'

'Ik heb bedacht dat *jij* met mij meegaat. Je kunt nu nog makkelijker mee omdat je geen manager van de afdeling meer bent, toch?' Er ontstaan rimpeltjes op haar neus. Ze kijkt me vragend aan.

'Ja, je hebt een punt, ik heb eerlijk gezegd even geen zin in mijn werk,' zucht ik. 'Het idee alleen al maakt me misselijk.' Ik kon het net niet opbrengen om op Randall te wachten in het hotel, ik moet verwerken wat er vandaag is gebeurd. Mijn zicht wordt wazig door opkomende tranen. Ik kijk omhoog in de hoop dat ze teruggaan naar waar ze vandaan kwamen. Randall probeerde het allemaal goed te maken, maar ik voel me nog steeds ellendig. Misschien is ook afstand van hem wel even goed.

Betty staat op, gaat naast me op het houten bankje zitten en slaat haar arm om me heen. 'Niet huilen. Het komt allemaal goed, we gaan samen op bootcamp. Ik ga afvallen en jij moet leren om meer van je af te bijten.'

'Ik kan heus wel van mij afbijten,' snik ik.

De serveerster zet zonder iets te zeggen de appeltaart, chocolademelk en wijn op ons tafeltje. Betty prikt met haar vorkje in de taart en neemt een hap. 'Hmmm. En ik kan heus wel afvallen,' zegt ze met volle mond en een slagroomsnor op haar bovenlip.

Mijn tranen veeg ik weg met een servetje dat voor mij op tafel ligt. Er blijven zwarte afdrukken op het papiertje achter. 'Grapjas,' reageer ik en schud mijn hoofd.

'Zullen we het samen gaan doen?' vraagt Betty.

'Is goed. Ik ga mee op bootcamp!'

Betty perst zich tegen mij aan en ik hap naar lucht. 'Dank je wel, Emma.' Ze geeft me een natte zoen, als ik met mijn hand mijn wang afveeg voelt het plakkerig van de slagroom.

'Geen dank,' mompel ik.

7

'We moeten opschieten anders komen we te laat.' Betty heeft vandaag twee staarten in haar haar waardoor ze steeds meer op Pippi Langkous begint te lijken. Ze heeft ook een tuinpak aangetrokken dat ik aandachtig bestudeer. 'Wat zit je naar me te kijken?' vraagt ze.

'O niets,' probeer ik zo nonchalant mogelijk te reageren.

'Dit is de nieuwste rage, ik heb het in een modeblad gezien en het is geïnspireerd op jou.'

'O, ehhh, leuk.' Ik probeer te glimlachen. Het tuinpak is van spijkerstof met een enorme zak aan de voorkant en wijde pijpen die over haar schoenen vallen. Onder haar tuinpak heeft ze een fluorescerend geel topje aan dat hoogstwaarschijnlijk licht geeft in het donker.

'Jij hebt gevoel voor mode. Je ziet er altijd zo *classy* uit, girl.' O nee, daar gaan we weer.

'Dat gevoel voor mode valt wel mee, ik koop gewoon wat ik mooi vind.' Ik rits mijn nieuwe leren weekendtas dicht die ik speciaal voor deze 'vakantie' heb aangeschaft.

'Dat bedoel ik, je doet er niet eens je best voor. Ik haal het uit een tijdschrift, maar het resultaat is dan ook wel verbluffend.'

'Het resultaat mag er zeker zijn.' Ik probeer niet sarcastisch te klinken.

'Zullen we gaan?' Shit. Ik heb Betty nog niet verteld dat mijn moeder ook meegaat.

'We moeten nog even langs het station om iemand op te pikken.' Ik kijk op mijn telefoon en zie dat ik vijftien oproepen heb gemist. Hoe kan dat? In die ene minuut dat ik mijn telefoon niet heb bekeken. 'Mama' zie ik staan. Natuurlijk.

'O, nee. Neem je je vriend mee? Waarom heb je me dat niet verteld? Ik vind dat helemaal niet leuk.' Ik word nu al gek van de zeurderige toon in haar stem. *OMG.* Ik zie een traan in haar oog staan.

'Nee, ik heb geen vriend.' We lopen mijn appartement uit, stappen de lift in en ik bekijk mijn gezicht in de spiegel.

'Jawel, je hebt wel een vriend.'

'Nee, het is over, weet je nog?' Ik mis Sandra en mijn vriendinnen uit New York. Die luisteren tenminste naar me. Nu ga ik ineens met Pippi en mijn moeder op vakantie.

'O ja, sorry. Heb je dan een andere vriendin uitgenodigd? Ik denk niet dat ik dat zo leuk van je vind. Waarom heb je geen toestemming gevraagd? In Nederland overleg je dat soort dingen met elkaar, het is niet handig om met z'n drietjes op vakantie te gaan. Eentje voelt zich altijd buitengesloten. Ik zou dat vervelend vinden voor jou, als ik het bijvoorbeeld heel goed kan vinden met jouw vriendin, dan ga ik mij weer schuldig voelen ten opzichte van jou...'

'Ik neem geen vriendin mee.' Betty is nog gekker dan ik vreesde. Ik druk op mijn autosleutel en de lichten van mijn auto knipperen.

'Wow, is dit een Mini Cooper? Wat cool met die witte streep op het dak. Je verdient zeker heel veel geld. Sandra zei al dat je heel rijk bent, maar je hebt ook een heel groot huis in je eentje. Waarom?'

Ze zegt dit hardop zonder enige gêne, ik kijk haar even

70

aan en haar grote ogen kijken nieuwsgierig terug. 'Het is niet mijn appartement.'

'O. Betaalt jouw baas dat voor je? Ben jij een soort maîtresse die hij dan in zijn stadswoning neerzet?'

Waar ziet ze mij voor aan? We stappen in de auto. 'Het appartement is van mijn ouders. Zij hebben het jaren geleden gekocht omdat ik hier misschien zou gaan studeren. Uiteindelijk ben ik in New York gaan studeren en gebruikten mijn ouders het appartement als *pied-à-terre*.'

'Pied de wattes? Je spreekt ook nog Frans?' Ze schudt haar hoofd, waardoor haar staartjes heen en weer dansen. 'Maar wie gaat er nou mee?'

Ik houd mijn stuur goed vast voor het geval dat Betty gaat gillen, en haal diep adem: 'Mijn moeder gaat mee,' blaas ik uit.

Ik zie rechts van me dat ze in haar handen begint te klappen. 'Wat een mooie verrassing,' jubelt ze. 'Je moeder!'

'Ja, inderdaad.'

'Ik voel me vereerd dat je mij aan je moeder wil voorstellen, dat geeft blijk van echte vriendschap.' Hoe ga ik ooit van Betty afkomen, vraag ik me af.

Tien minuten later zet ik de auto op de daarvoor bestemde parkeerplaats op het station en zie mijn moeder uit de taxi voor ons stappen. 'O, daar is ze.' Ik stap ook uit de auto en roep naar haar. 'Hier zijn we, mam.'

'Hallo! Kom je me helpen kind?' Ze heeft één grote Louis Vuitton-koffer bij zich, en is duidelijk niet van plan om die zelf te sjouwen. 'Ik wist niet wat ik mee moest nemen,' roept ze uit. Ik grijp de loodzware koffer van de grond, het afzien begint nu. 'Zeg je je moeder niet eerst gedag?' Ik zet de koffer neer, geef haar snel een kus en sjouw de koffer met moeite naar mijn auto. Het past net in de kofferbak.

Betty komt de auto uit en omhelst mijn moeder. 'Wat fijn

om u eindelijk te ontmoeten, ik heb zo veel over u gehoord.'

'Zeg maar "je", hoor. Ik ben nog hartstikke jong.'

Ze neemt mijn moeder aandachtig op. 'Ja, je had inderdaad een zus van Emma kunnen zijn.'

Mijn moeder knikt bevestigend naar Betty. 'O, dank je wel, kind.'

'Waarom ben je met de taxi gekomen?' vraag ik als ik de weg weer opdraai.

'Ik begreep er helemaal niets van, ik kon alleen maar een treinkaartje kopen in zo'n eng apparaat. Er was nergens een loket te bekennen, ik heb overal gezocht.'

'Het is allemaal erg lastig,' hoor ik Betty zeggen.

'Jullie kennen elkaar van werk neem ik aan?' Mijn moeder draait half haar hoofd naar achter zodat ze Betty kan zien.

'Nee, ik heb niet zo'n *fancy* baan, hoor. Ik ben lerares op een middelbare school. We kennen elkaar via Sandra.' Dat Betty lerares op een middelbare school is verbaast mij. Ik stel me voor dat ze lesgeeft aan dertig pubers in haar fluorescerende outfit. Dat kan niet goed gaan.

'O gut, wat leuk. Sandra is ons oude buurmeisje. Em en San hebben al die tijd contact met elkaar gehouden. Ze stuurden elkaar altijd e-mails die ik niet mocht lezen, Sandra is zo'n fantastische meid.' Ze praat erover alsof ze liever Sandra als dochter had willen hebben. 'Wat doet Sandra tegenwoordig?'

'Ik mocht die e-mails wel van Sandra lezen, want ik ben haar beste vriendinnetje. Sandra is haar eigen bedrijf begonnen afgelopen jaar. Het loopt goed en ze is nu op vakantie in Azië.'

'Wat knap van haar. Ik vind het ontzettend dapper als mensen iets voor zichzelf beginnen. Als ik niet getrouwd was met mijn man dan had ik een leuk boekenzaakje gehad. Bij ieder boek een handgeschreven verhaaltje met wat ik ervan vind, een lekkere bank waarin je kunt zitten en lezen. Mijn zelfgebakken muffins op de toonbank.' Mijn maag begint spontaan te rommelen, mijn moeders taarten en cakes zijn om je vingers bij af te likken.

'Wat een tof idee, misschien zou je het gewoon alsnog moeten doen. Het hoeft niet per se in Nederland te zijn, toch? Ik wil je wel helpen.' Betty en mijn moeder met een boekenzaak? Laat me niet lachen.

'Ik denk dat de boekenbranche niet de meest lucratieve markt is op dit moment. Steeds meer mensen kopen online...' zeg ik.

'Doe niet zo serieus, kind. Geef financieel advies op je werk, maar laat ons nu lekker wegdromen. Toch Betty?'

'Zou het niet leuk zijn om muziek te hebben in die zaak? Live muziek? Wel akoestisch natuurlijk,' vult Betty aan.

'We moeten een plan gaan maken, Betty.' Kijk uit wat je zegt, moeder, die Betty is gevaarlijk. 'Maar wat voor bedrijf heeft Sandra precies?'

'Ken je Tupperware?' vraagt Betty.

'Natuurlijk ken ik dat, ik heb zo veel Tupperwareproducten, fantastisch spul. Mijn man is vaak laat thuis en dan kan zo'n bakje in de magnetron. Het is ook nog eens ontzettend duurzaam, wat enig dat ze dat verkoopt. Ik ga binnenkort bij haar spulletjes kopen, want ik kan nog wel wat gebruiken.'

'Ja, nou, ze verkoopt niet die producten, maar heeft wel zo'n businessmodel. Maar eigenlijk wil ze trouwen en moeder worden.' Chapeau Betty, goede afleidingsmanoeuvre.

'San was als kind al een geboren moeder, ze liep altijd met een poppenwagen en droeg van die schattige roze jurkjes. Ik weet het nog als de dag van gisteren. Emma was niet zo schattig, die viel bijvoorbeeld met haar fiets in de sloot en kwam helemaal groen van het kroos thuis, afschuwelijk was dat.' Mijn moeder trekt haar neus op.

Ik kan het me ook nog goed herinneren, mijn moeder gilde hysterisch toen ze mij zag en sleurde me de tuin in. Daar spoot ze me schoon met ijskoud water uit de tuinslang. Het was acht graden buiten, er gaat nog een rilling door me heen als ik eraan denk. Ze zei: 'Dat zal je leren.' Ze had niet eens gevraagd hoe ik in de sloot was gevallen.

'Wat grappig, verhalen uit de oude doos van een van mijn beste vriendinnen,' grinnikt Betty.

'Heb je een vriend?' Natuurlijk stelt ze die vraag, het zou eens niet zo zijn.

'Ja, ik heb al een aantal jaar verkering.' Verkering? Het is duidelijk dat ze lesgeeft op een middelbare school. 'Ik leerde Matthieu kennen tijdens onze studietijd.'

'Ach, wat romantisch is dat. Ik heb Peter ontmoet tijdens onze schooltijd, hij gaf mij bijles. Ik deed net alsof ik het allemaal niet begreep, zodat hij geduldig bleef uitleggen. Op een gegeven moment ben ik boven op hem gesprongen en nooit meer van hem afgegaan,' lacht ze.

'Gatver, mam.'

'Doe niet zo preuts, kind. Ik begrijp niet hoe ik zo'n preuts kind op de wereld heb kunnen zetten. In die tijd had ik niet alleen je vader, kan ik je vertellen. Ik had meerdere vriendjes en ik heb me pas vastgelegd toen hij mij ten huwelijk vroeg.' Ze gooit er nog een schep bovenop: 'Er was één jongen waar ik smoorverliefd op was, hij was net zoals je vader Indisch. Hij had van die mooie amandelvormige ogen waar ik in verdronk.'

'Hou op, mam. Betty wil dit niet weten.'

'O jawel, ik wil dit wel weten, ga verder met je verhaal.' Betty stuitert heen en weer op de achterbank. We staan bij een stoplicht en mijn auto danst op en neer. In mijn achteruitkijkspiegel zie ik de bestuurder achter me grinniken.

'We lagen op de bank met elkaar te vozen.' Vozen, mijn

moeder die het woord vozen gebruikt. Nee, ik wil dit verhaal niet horen.

'We deden onze kleren uit.'

'Echt, hou op. Vertel dit verhaal een ander keertje aan
Betty.' Ik voel mijn ontbijt achter in mijn keel en krijg een
bittere smaak in mijn mond.

'Doe niet zo preuts, kind. Ik vertel het verhaal en jij houdt
op met mij te onderbreken.' Ze laat een stilte vallen en kijkt
me met haar grote blauwe ogen aan. Precies dezelfde kleur
als de mijne, het bewijs dat ik haar dochter ben. 'Het zou
voor mij de eerste keer zijn, ik was net aan de pil en dat
kon allemaal in die tijd want er was nog geen aids,' vervolgt
ze. Fijn, we krijgen ook nog geschiedenisles van mijn oude
moedertje. 'Hij deed zijn sokken uit en ik zag afschuwelijke
tenen, ze leken wel zwemvliezen. Gillend ben ik het huis uit
gerend.'

Door de achteruitkijkspiegel zie ik Betty dubbelgevouwen
van het lachen. Ik probeer mijn gezicht in de plooi te houden, maar het lukt mij ook niet helemaal. 'Dat is de reden
dat ik met je vader ben getrouwd en dat is jouw bestaans-
recht.'

8

'Welkom bij Extreme Bootcamp. Mijn naam is Shawn. Deze week gaat over het verleggen van je grenzen. Het programma dat we volgen is in samenwerking met het leger samengesteld. Natuurlijk heeft iedereen zijn of haar eigen niveau en daar houden wij uiteraard rekening mee. Maar voor iedereen geldt een ding: *you will suffer!*'

Iedereen luistert aandachtig naar Shawn, zelfs Betty houdt zich stil. Shawn ziet eruit alsof hij net van een surfplank is gesprongen. Hij draagt een korte broek en T-shirt en loopt rond terwijl hij praat. We staan buiten naar hem te luisteren en het miezert.

Bootcamp vindt plaats op een groot terrein met een binnenplaats, waar we ons nu hebben verzameld in de kou in plaats van comfortabel binnen in het gebouw. Het centrale gebouw lijkt op een grote schuur door het hoge dak, maar met een raampartij. Binnen staan tafels in lange rijen opgesteld, niet heel gezellig of knus. Driehonderd meter links van ons staat een heel grote groene tent die door de camouflagekleuren in het niet valt tegen de bebossing daarachter. Voor het jaargetij oogt het bos groener dan ik zou verwachten. Aan de rechterkant hebben we weids uitzicht over oneindig lijkende grasvelden en weilanden omkaderd door hekken. Het is een contrast van landschappen dat ik niet eerder heb gezien, maar het is ook de eerste keer sinds zes maanden dat ik Amsterdam heb verlaten. En buiten de Nederlandse Randstad ben ik geloof ik nog nooit geweest.

'Wie is mevrouw Schelp?' vraagt hij.

Ik schrik op. 'Ik.' Ik steek mijn hand in de lucht. O, dat ziet er dom uit, ik laat snel mijn arm weer zakken.

'Ik ook,' hoor ik naast mij.

'Wat toevallig,' zegt Shawn. 'Die naam hoor je niet zo vaak, het is voor mij ook nog moeilijk om dat uit te spreken.'

'Je doet het hartstikke goed hoor, kind.' Gaat ze onze bootcamptrainer 'kind' noemen? Ik verstop mijn gezicht in mijn zachte kasjmieren sjaal die ik een paar maanden terug bij de Drie Dwaze Dagen heb gescoord. 'Waar kom je vandaan?'

'Ik kom uit Australië.' *Yes*, het is inderdaad een *surfdude*.

'Waar precies in Australië?' Moeder, hou je mond. Niet nu, vraag dit tijdens het avondeten. Ik kijk om me heen, maar niemand lijkt zich te ergeren.

'Uit Perth, dat is de West...'

'O, dat is enig,' onderbreekt ze hem. 'Wij zijn daar tig keer op vakantie geweest, weet je nog Em?' Ze geeft me een duw met haar elleboog. 'We gingen meestal naar Bali op vakantie, maar Perth stond met stip op nummer twee.' Ik duik nog dieper weg in mijn sjaal, hopelijk heeft niemand door dat we bij elkaar horen.

'Dat is fantastisch. Wie van u twee heeft een speciale privékamer geboekt in verband met slaapproblemen.'

'Ja, die is voor mij.' Hij overhandigt haar een sleutel.

'U slaapt daar in de kazerne, kamernummer staat op de sleutel. Als u in die richting loopt komt u er vanzelf. De rest kan met mij meelopen naar het slaapvertrek.'

'Dag lieverd,' roept mijn moeder. Ze zwaait met haar sleutel in de lucht.

'Hebben wij niet een eigen kamer?' vraag ik Betty die naast mij loopt.

'Nee, bij het Extreme Bootcamp-programma hoort dat we met zijn allen in een tent slapen. We zijn op een legerkamp, geen kuuroord. Het ziet er al een stuk beter uit dan schoolkamp.' Ik realiseer me dat mijn eigen schoolkampen waarschijnlijk best luxe waren. Met weemoed denk ik aan het prestigieuze hotel waar wij ons bedrijfsweekend hadden, met heerlijke zachte bedden.

We staan inmiddels voor de grote legergroene camouflagetent naast de kazerne. Shawn loopt de tent in en ik zie dat de onderkant ervan niet aansluit met de grond. Ik voorspel dat ik het ijskoud ga krijgen. Hopelijk heeft mijn moeder een tweepersoonsbed want dan kruip ik misschien stiekem bij haar in bed. Als kind mocht ik nooit bij haar in bed slapen omdat ze me te 'draaikonterig' vond, maar misschien vindt ze het nu wel te doen. 'Iedereen kan een bed uitzoeken,' hoor ik Shawn zeggen.

Betty rent naar een stapelbed in de achterste hoek. 'Wil jij beneden of boven liggen?'

Ook binnen in de tent stijgen wolkjes op uit mijn mond als ik adem, hopelijk vriezen mijn ledematen er niet af. De warme lucht gaat naar boven, denk ik. 'Doe maar boven,' antwoord ik en ik gooi mijn handtas op het bovenste bed.

Boven in de tent bungelen aan ijzeren frames grote lampen, die een fel, maar weinig flatteus licht afgeven. Het witgele licht werpt donkere schaduwen in de tent, alsof zich een tweede groep cursisten daarin schuilhoudt.

'Mag ik jullie aandacht? We gaan beginnen met onze eerste bootcampopdracht.' O nee, moeten we nu al gaan hardlopen? 'Je maakt kennis met je "stapelbed"-genootje en daarna gaan we ons in de groep voorstellen. Jullie hoeven nog geen sportkleding aan te doen en ik verwacht jullie over een half uur buiten.' Shawn loopt de tent uit.

'Wat is hij knap, onze trainer, hij keek wel steeds naar me. Komt vast door mijn mooie outfit. Denk je dat hij mij leuk vindt?' vraagt Betty.

'Ik ga even bij de kamer van mijn moeder kijken, oké?'

Een half uur later staan we weer buiten op het plein te koukleumen. 'Voordat we met het kamp gaan beginnen wil ik een kort voorstelrondje doen. Je hebt net kennisgemaakt met je "stapelbed"-genootje.'

'Ik niet.' O nee. Mijn moeder, dit had ik kunnen weten.

'Dat maakt niet uit, Rita.' Wat een geduld heeft die Shawn. 'Je gaat niet jezelf voorstellen, maar je "stapelbed"-genootje.

Er ontstaat geroezemoes in de groep.

'Wie moet ik dan voorstellen?' vraagt mijn moeder.

'Jij mag jezelf voorstellen, oké?'

'Is het goed als mijn dochter mij voorstelt? Dat lijkt me wel leuk.' Dat zullen we nog wel eens zien, wat moet ik in vredesnaam over haar zeggen.

'Maar wie gaat mij dan voorstellen?' vraagt Betty met haar kleuterstem.

Shawn klapt in zijn handen. 'Dames, rustig. Ik stel voor dat Emma jullie allebei voorstelt en jullie mogen haar ook allebei aan de rest voorstellen.' Waarschijnlijk had hij al voorzien dat ze allebei aan het woord zouden willen komen.

Betty steekt haar hand in de lucht. 'Ja, Betty,' zegt Shawn. Hoe kan het dat hij alle namen al weet, die Shawn is zo dom nog niet.

'Mag ik als eerste, alsjeblieft?' Haar hand blijft ze in de lucht houden. Ze lijkt net op de ezel van Shrek die 'Pick me, Pick me,' roept. De rest van de groep kijkt geamuseerd naar het tafereel. De groep bestaat uit tien personen, waaronder twee mannen die zo te zien bij elkaar horen.

'Wat een enthousiasme,' reageert Shawn zonder enige ondertoon. Deze gast is echt een goedzak, dat is duidelijk. '*The floor is yours.*'

Betty staat op en kijkt de groep rond terwijl ze naast mij gaat staan. 'Dit is Emma, ze is mijn beste vriendin. Sandra is ook mijn beste vriendin, maar die kon helaas niet mee want ze is op reis in Azië. Emma heeft over de hele wereld gewoond, ze is echt een wereldse *girl.*' O nee, daar gaan we weer. Ze glimlacht naar me, ik grijns schaapachtig terug. 'Ze heeft op een Amerikaanse universiteit gestudeerd en ze heeft belangrijk werk waarmee ze heel veel geld verdient. Ik weet niet hoeveel want dat wil ze me niet vertellen. Ze wilde eerst niet met mij mee op bootcamp, maar sinds ze is aangezien voor een hoer heeft haar zelfvertrouwen een opdonder gehad. Dit laatste is niet mijn eigen analyse, maar die van Sandra. Ik ben haar heel dankbaar dat ze met mij meegaat op bootcamp, want zonder haar had ik hier niet gestaan. Ik wil echt iets aan mijn gewicht doen, maar weet niet waar en hoe ik moet beginnen. Dank je wel, Em. Je bent mijn steun en toeverlaat. Ik hou van je, *girl.*' Haar stem kraakt bij de laatste zin en ze pinkt een traantje weg.

Heb ik het goed gehoord? Vertelde ze werkelijk net aan tien onbekenden en mijn moeder dat ik voor hoer ben aangezien? 'Nu mag jij Betty voorstellen, Emma.' Shawn lijkt het onbelangrijk te vinden dat ik misschien een prostituee ben.

Alle gezichten zijn op mij gericht, ik wil heel graag zeggen dat Betty niet mijn beste vriendin is en dat mijn echte vriendinnen in New York wonen en geen tuinbroeken dragen. Ik voel me ineens heel alleen. Kom op, Em, zeg ik tegen mezelf. Wees aardig. 'Ik ben ontzettend trots op Betty dat ze heeft besloten om het roer om te gooien, ik zal haar de komende week steunen. Betty woont samen met haar vriend Matthieu in Amsterdam en werkt als lerares op een middelbare school. Het zal jullie niet ontgaan zijn dat ze een hele spontane en sociale meid is.' Ik kijk naar Betty en ze glundert.

'Je maakt me nieuwsgierig. Wat voor les geeft Betty?' vraagt Shawn. Hij kijkt naar mij. Waarom vraagt hij dit niet aan haar? Zo stond ik net nog te rillen van de kou en nu breekt het zweet me uit. Ik weet het niet en ik graaf in mijn geheugen. Vraag al mijn financiële transacties van afgelopen week en ik geef het op een presenteerblaadje, ik typ het desnoods binnen drie minuten uit in een Excelsheet. Maar wat voor les Betty geeft...?

Er ontstaat een ongemakkelijke stilte. 'Ik weet het niet,' geef ik toe.

'Doe niet zo gek, joh,' roept Betty uit. 'Ik ben gymlerares,' zegt ze tegen de groep.

'Ja, dat wist ik natuurlijk wel, grapje,' grinnik ik.

'Je mag nu jouw moeder voorstellen aan de groep,' zegt Shawn.

'Oké, dit is Rita Schelp uit Parijs. Ze heeft twee kinderen, waarvan ik er eentje ben. Mijn broer woont in Singapore en is het lievelingetje.'

'Dat is niet waar, kind. Hij is mijn lievelingszoon en jij bent mijn lievelingsdochter,' interrumpeert mijn moeder me.

Ik rol met mijn ogen en vervolg: 'Ze heeft haar hele leven voor mijn vader Peter gezorgd. Deze man komt niets te kort, hij kan niet eens een eitje bakken, want vrouwlief doet alles voor hem. Echt alles. Op zijn zakenreizen ging ze altijd met hem mee en liet ze haar kinderen achter bij de *nanny*.'

'Wat is dit voor geschiedvervalsing, ik ging zelden met jullie vader mee op zakenreis. We hadden wel hulp in huis, maar dat heeft iedereen in Azië.' Ze slaat haar armen over elkaar heen en trekt haar mondhoeken omlaag. 'Zoals je kunt zien heeft ze een goed figuur voor haar leeftijd, daar doet ze ook haar best voor. Je zult haar geen suiker zien eten, maar haar bezoek gooit ze wel vol met zelfgebakken heerlijke taarten. Kortom, mijn moeder.' Misschien was het een beetje hard, maar het is wel de waarheid.

'Oké, nu mag Rita haar dochter voorstellen.' Shawn blijft professioneel de boel begeleiden.

'Dit is Emma. Ze is een ontzettend slim kind, maar toch maak ik me een beetje zorgen over haar. Dat hele verhaal dat ze voor hoer is aangezien, kende ik niet. Dat wil ik graag weten. Vertel je me dat zo, kind? Emma is iemand die zich aan regels houdt, ze is een braaf kind geweest. Ze haalde altijd hoge cijfers en is cum laude afgestudeerd. Ze is in Nederland komen wonen omdat ze op zoek was naar haar *roots*. Ik vind het bijzonder dat ze ervoor gekozen heeft om zich in Nederland te vestigen.'

'Op zoek naar mijn *roots*? Ik kreeg een goede baan aangeboden die toevallig in Amsterdam was,' reageer ik, terwijl ik me had voorgenomen om haar niet te onderbreken.

'Ik ben heel blij dat ze mij heeft uitgenodigd om mee te gaan op bootcamp, dit zal onze band versterken. Ik hoop dat ze een man vindt die van haar houdt want ik kan niet wachten om oma te worden.'

'Mam, doe normaal!'

'Ik wil niet zo'n oude oma zijn, dus die kleinkinderen moeten snel komen. Dus als er nog single mannen in de groep zijn? Sla je slag!' Het is weer eens duidelijk dat het niet bij mijn moeder is opgekomen dat de enige twee mannen in de groep waarschijnlijk niet op mij zitten te wachten.

'Dank je wel Rita, voor deze bijzondere woorden over jouw dochter. Dit belooft een mooie week te worden voor jullie.'

'Mag ik nog wat toevoegen?' vraagt Betty.

'Natuurlijk, gooi het in de groep.' Dit wordt een heel lange week, vrees ik.

'Ik wil graag toevoegen dat ik zo blij ben dat ik de moeder van Emma heb ontmoet vandaag, het is zo'n bijzondere vrouw. We gaan ook samen een businessplan maken, maar daar kan ik nu nog niets over loslaten want het is *topsecret*.'

'Dank je wel, Betty. Dan gaan we nu door met de rest van de groep. Iedereen komt aan de beurt.'

9

'Zijn jullie er klaar voor?' vraagt Shawn.

Betty hupst heen en weer, haar benen zijn net worsten die uit hun plastic velletje knappen. Ook vandaag heeft ze zich in een fluorescerende legging gewurmd. Haar roze sweatshirt zit te strak waardoor de *smileyface* die erop is geprint een bedenkelijk gezicht heeft gekregen. Het is zes uur 's morgens en ijskoud. Het is donker om ons heen en vanuit de bebossing hoor ik vage hese geluiden, alsof een stel nachtdieren ons vanuit het gebladerte zit uit te lachen. We zijn om half zes wakker gemaakt door een leger, letterlijk een leger. Ze marcheerden door de tent heen. 'Wakker worden,' riepen ze. Ik dacht dat ik in een nachtmerrie was beland. Even was ik bang dat Betty door dit kabaal uit haar bed zou vallen en mij zou verpletteren, maar godzijdank lig ik in het stapelbed boven haar.

Shawn bekijkt me van top tot teen. 'Ik denk niet dat het handig is om in deze kleding mee te doen vandaag.'

'Hoezo niet? Ik heb dit speciaal gekocht voor bootcamp. Ik ben helemaal naar zo'n mega *outdoorstore* gereden en ze hebben mij onder andere deze outfit aangeraden.'

'Heb je de informatiemap niet gelezen?' vraagt Shawn. Ik denk diep na.

'Ja, die heb ik nog speciaal naar je gebracht.' Betty bemoeit zich uiteraard met het gesprek. 'Ik had die bij je op tafel gelegd.'

Nu herinner ik het me weer, en die map ligt daar waarschijnlijk nog steeds. 'O ja, helemaal vergeten te lezen.'

'Weet je wat? Welke tas is van jou?'

'Die grote leren weekendtas.' Trots kijk ik naar mijn tas, het is een plaatje. Mijn nieuwste Spaanse aanwinst in mijn tassencollectie, gevonden in een *pop-up store* op de Haarlemmerdijk. Shawn loopt naar mijn tas en ritst hem open.

'Doe maar niet, daar zitten persoonlijke spullen in.' Ik kan er niet tegen als iemand door mijn spullen gaat.

Hij vist een zwart cocktailjurkje en mijn nieuwe bijpassende rode Prada pumps uit mijn tas. '*Why?*' Hij kijkt mij met grote ogen aan.

'Er zijn vaak feestjes op vakantie. Het neemt heel weinig ruimte in en je weet maar nooit,' verdedig ik. Dan haalt hij de rest van mijn sportkleding uit mijn tas. De *tags* hangen er nog aan, ik had geen tijd gehad om die eraf te halen.

'Je gaat op bootcamp en je neemt een tas vol met nieuwe kleding mee? Je hebt helemaal geen oude kleding meegenomen? Niet zoiets als Betty aanheeft?'

Betty's mondhoeken springen op van oor tot oor. 'Ik help je de volgende keer wel met inpakken, *girl*.' Het *smileyface*-voorhoofd wordt inmiddels tussen haar boezem samengedrukt, die is dus ook niet blij.

Shawn schudt zijn hoofd. Zijn blonde krullen dansen om zijn hoofd. Hij moet hoognodig naar de kapper. 'Dit heb ik nog niet eerder meegemaakt, ik ben over een minuutje terug.'

'Wat is er mis met mijn kleding? Ik had geen sportkleding en moest wel iets nieuws kopen.'

'Bij de instructie stond dat je een lange broek en lange mouwen moet dragen. Jij hebt een strakvallend tennisrokje gekocht, kind.' Mijn moeder lijkt het ook amusant te vinden dat ik niet de juiste kleding bij me heb.

'Alsjeblieft, trek dit maar aan.' Shawn overhandigt mij een legerpak dat loeizwaar aanvoelt.

'Moet ik hierin gaan lopen? Dat is hartstikke zwaar.'

'Heb je alleen rokjes en korte mouwen ingepakt?'

'Ja, nou nee – ook een paar korte broekjes maar jij draagt ook een korte broek en de mevrouw in de winkel verzekerde me...'

'Geen gemaar. Je doet dit pak aan, niet meer zeuren.' Ik schrik van Shawn want hij was gisteren helemaal niet streng. Ik trek snel het legerpak over mijn outfit aan. Dan te bedenken dat ik zo veel geld heb betaald om hier te zijn.

Shawn klapt in zijn handen. 'We gaan beginnen. We gaan eerst een stukje hardlopen om onze spieren op te warmen.'

'Ik kan niet meer,' hijg ik.

'Kom op, Emma. Je loopt achteraan en je houdt de groep op.'

'Gisteren beloofde je dat er rekening werd gehouden met ieders niveau.'

'Zolang jij nog een discussie kan voeren tijdens het hardlopen geef jij niet alles. Je moeder rent jou eruit en die is minstens twintig jaar ouder.' Ze loopt inderdaad als een kievit. Betty loopt helemaal voorop, al de hele ochtend. Ze is sportiever en irritanter dan ik dacht.

'Ik heb een heel zwaar pak aan.'

'Wat zei ik net tegen je? Niet discussiëren, hup rennen jij. Je moet je grenzen verleggen.' Hij rent nu zo hard van mij weg dat ik het gevoel heb dat ik stilsta. Hij is binnen *notime* bij de rest van de groep en godzijdank laat hij ze op mij wachten. De hele groep staat stil en ik ren op ze af. Ik trek een sprintje zodat het lijkt alsof ik harder loop.

87

'Zo wil ik het zien, Emma,' roept Shawn.

'*You go girl*.'

Het zweet gutst van mijn gezicht. Als ik van tevoren had geweten dat ik de slechtste zou zijn, was ik zeker niet meegegaan. Er ontstaan zwarte sterretjes voor mijn ogen en ik voel me licht in mijn hoofd. 'We gaan nu opdrukken. Iedereen naar de grond, jij ook Emma.'

'Het is hier modderig. Kunnen we niet ergens anders gaan opdrukken?' vraag ik. Ik kijk om me heen, we staan midden in een weiland en door de regen is alles drassig. Mijn nieuwe sportschoenen zijn niet meer zichtbaar door de blubber die eraan plakt, ik begin te begrijpen waarom we oude kleding moesten meenemen.

'Wat had ik gezegd? Niet piepen, Emma.' Wat is die Shawn opeens onaardig geworden, gisteren was het nog zo'n *softy* tijdens het voorstellen.

Ik laat me op mijn knieën vallen en begin met opdrukken. Mijn handen zakken weg in de drassige modder, het stinkt.

'Niet met je kont omhoog, Emma.' Shawn staat nu voor mijn neus. 'Emma, heb je je knieën op de grond? Dat is niet opdrukken.'

Ga iemand anders commanderen, gast. 'Ik kan het niet op de normale manier, ik kan het alleen op mijn knieën.'

'Als je zegt dat je iets niet kunt, dan kun je het inderdaad niet. Je kunt het *wel*, zeg dat je het kunt,' beveelt hij.

'Ik kan het,' roep ik om van hem af te komen. Ik doe mijn knieën omhoog en mijn beide armen beginnen te trillen.

'Goed zo, Emma. Nu jezelf recht maken als een plank. Kijk maar naar je moeder.'

Ik weet niet waar ik de kracht vandaan moet halen om mijn hoofd te draaien, maar wat ik zie als ik het doe is indrukwekkend: mijn moeder zwiept in een kaarsrechte lijn heen en weer. Ik ben een slappeling. Ik probeer mijn lichaam net zo recht te krijgen als dat van mijn moeder, mijn armen beginnen nog harder te trillen.

'Ja, en nu jezelf laten zakken.'

Ik buig mijn ellebogen en kan mijn gewicht niet houden. Ik ben te zwaar, en val met mijn hoofd in de drassige modder. 'Gatver. Wat een smerige modder.'

'Dat is geen modder,' lacht Shawn. Dat is een koeienvlaai.'

'Ik vond het al zo stinken.' Ik sta op. Van de geur en het idee dat er poep op mijn gezicht zit ben ik onpasselijk geworden. In de verte zie ik een groepje koeien grazen dat verantwoordelijk is hiervoor. Eentje kijkt opzij naar ons, al gras herkauwend. Ze kijkt me priemend aan, genieperig, alsof ze wraak neemt namens de koeien die als biefstukjes op mijn bord zijn beland. Dit moet haast wel haar koeienvlaai zijn geweest...

'Wat heb je gedaan, *girl*?'

'Noem me geen *girl*,' sneer ik.

'Emma, wat doe je onaardig, zo heb ik je niet opgevoed.'

Seriously? Gaat mijn moeder zich er ook mee bemoeien? Ik heb het er helemaal mee gehad en ik loop zonder iets te zeggen door het drassige veld terug naar de kazerne. Dit is geen vakantie, ik smacht naar het warme kantoor waar mijn collega's heerlijk zitten te werken en in alle rust genieten van een kopje koffie.

'Wacht even,' zegt Shawn. Waar komt hij ineens vandaan? Hij hijgt niet eens van het rennen. Wat een robot. 'Geef het niet op, ik zal je gezicht even schoonmaken.' Hij doet zijn grote rugzak af en haalt er een theedoek uit en een thermoskan. Sjouwt hij dat allemaal mee op zijn rug?

Ik sta stil en hij wrijft voorzichtig mijn gezicht schoon met een warme natte theedoek. Het voelt heerlijk en mijn neus brandt van binnenuit door de emoties die opkomen. Ik weet niet of ik ooit zo lief ben verzorgd. 'Dank je,' zeg ik.

'Is niet nodig. Ik ben van alle markten thuis en dit hoort er ook bij.' Hij lacht naar me, hij is eigenlijk best leuk. Ik begin Betty's affectie voor hem te begrijpen. Ze heeft gisterenavond de oren van mijn hoofd gepraat over hoe aantrekkelijk hij is.

'Ik denk dat ik beter hiermee kan stoppen. Ik ben niet sportief, zoals je al hebt gemerkt.' Ik haal mijn schouders op. 'Ik heb nooit de behoefte gehad om te sporten en ik weet niet waarom ik hieraan ben begonnen.'

'Ik ga je iets verklappen, Emma. Bootcamp gaat niet over sport, het gaat over hoe je in het leven wilt staan. Het gaat over doorzettingsvermogen. En jij moet nu echt doorzetten, want anders is het zonde, je krijgt hier geen spijt van. Dat beloof ik je.' Ik moet even aan Randall denken die het zonde vond om de kamer niet te 'gebruiken'. Ik word weer kwaad bij de gedachte dat hij mij geen promotie heeft gegeven. Hij heeft daarna wel toenadering gezocht, maar ik heb hem in zijn eigen sop gaar laten koken. En hij is ook nog getrouwd. Wat een eikel.

'Wil je ervoor gaan?' vraagt Shawn met de zachte stem van een dag eerder.

Ik begin te huilen en kan niet meer stoppen. Mijn emoties van de afgelopen tijd komen er allemaal uit en Shawn geeft mij een *hug*. 'Ik stink,' hik ik.

'Laat het maar even gaan, je lichaam moet zich ontladen.' Hij wrijft over mijn rug. Shawns lichaam voelt warm aan en ik besef ineens hoe koud ik het heb. Ik druk me tegen hem aan. 'Heel goed, Emma. Beloof je dat je doorzet? We moeten alleen even die spieren in je lichaam aanzetten. Na deze week zal je je als herboren voelen.'

We lopen samen terug naar de rest van de groep die met elkaar staat te keuvelen. Alsof ze de grazende koeien van verderop spiegelen. Shawn klapt in zijn handen. 'Wie had gezegd dat jullie konden stoppen met opdrukken? Hup, aan de slag.' Ik werp me op de grond. Ik check of er geen koeienvlaai in de buurt is en druk me op. Het lukt me één keertje, mijn armen zijn direct verzuurd en beginnen te trillen. 'Zie je wel dat je het kunt, ik ben trots op je, Emma,' hoor ik naast me en ik moet trots in mezelf lachen.

'Oké, we gaan weer rennen, iedereen opstaan.' Ik heb me in totaal drie keer weten op te drukken en ik kan inderdaad meer dan ik dacht. Ik ren zo hard ik kan achter de groep aan.

'Hi, Emma.' Betty heeft er flink de pas in, en loopt naast me. 'Gaat het?'

'Ja, het gaat wel,' hijg ik.

'Het verbaast me dat je zo'n slechte conditie hebt, want je bent zo dun.'

'*You can't judge a book by it's cover.*'

'Ja, haha. Ik doe het niet slecht voor een dikzak, toch? Vind je mij dik?' Betty kijkt mij niet aan. Wat moet ik hier op antwoorden? Ieder antwoord kan verkeerd vallen.

Misschien moet ik de waarheid zeggen. 'Ik weet niet zo goed wat ik hierop moet antwoorden.'

'Waarom?'

'Ik vind het een lastige vraag,' antwoord ik.

'Het is heel simpel. Vind je mij dik? Ja of nee?' Ze begint steeds harder te praten.

'Ik vind je niet dik.'

'Je liegt. Ik ben wel dik en Shawn vindt jou leuk.' Het lijkt wel alsof ze boos op me is. Ik snap de connectie met Shawn niet. 'Was het je niet opgevallen dat ik hem leuk vind?'

'Je hebt een vriend. Waar maak je je druk over?'

'Dat doet er niet toe. Ik heb gisteren gezegd dat ik Shawn leuk vind. Hij is van mij, begrepen?'

'Prima, het is niet mijn type.' Kan ze ophouden hiermee, praten en sporten tegelijk is geen pretje.

'Waarom ging je net dan met hem zoenen?' vraagt Betty.

Ik veeg de zweetdruppels van mijn voorhoofd. 'Hoe kom je daar nou bij?'

'Je moeder riep het, ze zei dat ze het had gezien. Wij stonden op en zagen dat hij jou omhelsde. Maar je moeder verzekerde me dat jullie gezoend hadden. Je hebt wel lef met die koeienvlaai op je gezicht.'

'Mijn moeder is hartstikke kippig, ze weigert al jaren een bril of lenzen te dragen. Zij noemt dat: leven in een aquarel.'

'Wat poëtisch van haar.' Ik hoor de bewondering in Betty's stem.

'Als je bij haar in de auto stapt is het niet meer zo poëtisch allemaal, meer een nachtmerrie.'

'Je hebt dus niet met hem gezoend?'

'Nee, ik heb niet met hem gezoend, Betty.'

'Ok *girl*, ik geloof je. Jij bent mijn beste vriendin en ik hou van je.'

10

'Emma jij mag het eten vanavond verzorgen,' zegt Shawn. Ik weet niet meer hoe ik een stap kan verzetten, en nu moet ik ook nog een maaltijd voor iedereen klaarmaken. Bij iedere beweging die ik maak voel ik spieren waarvan ik niet wist dat ik ze had, zelfs bij het omhoog houden van een klein waterflesje verkrampen tijdens het drinken mijn bovenarmspieren.

'Weet je het zeker, Shawn? Die dochter van mij kan niet koken,' lacht mijn moeder. 'Ik zal haar wel helpen.'

'Dat kan Emma prima. Alle producten staan klaar en ik heb de recepten uitgeprint, er kan niets misgaan.'

'Ze kan het niet.' Mijn moeder trekt een zuur gezicht.

'Kan ik niet, kennen we hier niet,' antwoordt Shawn. 'Emma gaat de keuken in en Rita helpt niet mee.'

Ik strompel naar de grote gaarkeuken in de kazerne. Alles is van glimmend roestvrijstaal. Grote industriële pannen staan opgesteld in colonne, klaar voor een veldslag. Boven het dubbele fornuis hangen spatels en ander kookgerei, smachtend om in actie te komen. Mijn handen voelen klam aan, dit is een professionele keuken. Er staat een mand met uien en knoflook, bakken vol met verse groenten. Moet ik die allemaal snijden? Ik kan niet eens op mijn benen staan, laat staan koken voor tien man.

Mijn telefoon gaat af. Mijn buik kriebelt als ik zie dat de persoon 'Niet bellen' mij een berichtje heeft gestuurd:

'Ik mis je! X'

'Ik mis jou niet.'

'Ben je nog steeds boos op me?'

'Ja'

'Ik heb een klacht ingediend bij het management van het hotel.' Dat moet goedmaken dat hij mij geen promotie heeft gegeven?

'Daar ben ik niet boos over.'

'Ik hou van je. Ik heb spijt, als ik had geweten hoeveel die promotie voor je betekende had je die gekregen. Begrijp je dat?' Misschien heb ik niet duidelijk gemaakt hoe graag ik promotie wilde maken.

'Ja, dat begrijp ik.'

'Hou je ook van mij?'

'Nee.'

'Zullen we elkaar vanavond ontmoeten?'

'Ik ben niet in Amsterdam.'

'Maar als je in Amsterdam zou zijn, zou je dan willen afspreken?'

'Misschien'

'Waar ben je? Ik wil je zien.'

'Ik ben op stap met mijn moeder, die wil je niet ontmoeten. Geloof me.'

'Lijkt ze op jou?'

'Nee.'

'Wanneer ben je terug?'

'Over een aantal dagen.'

'Zullen we elkaar ontmoeten?'

'Is goed. Ik moet verder. Dag.'

'Dag liefste van me. X'

'Gaat alles goed?' Ik kijk op van mijn telefoon en zie dat

Veronique de keuken in komt wandelen. Ik schat dat ze ongeveer veertig is. Ze heeft lang glanzend bruin haar, ze zou het levende uithangbord moeten zijn voor Andrélon. Ze is de sportiefste van allemaal, ze is helemaal afgetraind. Ik vraag me af waarom ze zich hiervoor heeft opgegeven.

'Ja, ik was even aan het *appen*.'

'Het schiet nog niet zo op met het koken zie ik. Zal ik je helpen?'

'Ja, graag.' Ik ben blij met wat extra handen. Ik was mijn handen onder de grote kraan. 'Waar zullen we beginnen?' Ik draai me om en Veronique is de uien al aan het snijden. 'Huh, wat ben jij snel.'

'Ik kook al jaren iedere dag een verse maaltijd voor mijn gezin, hier draai ik mijn hand niet voor om.' Er staat ook al een pan water op het vuur. 'Zou jij de paprika's kunnen wassen en snijden?'

'Ja, natuurlijk.' Met moeite buk ik voorover om uit de mand paprika's te pakken, en ik vraag me af wat we koken. Met zes paprika's in mijn armen kom ik langzaam weer overeind, ik voel me een oude oma. 'Waarom ben je hier eigenlijk?'

Ze trekt één kant van haar lip omhoog. 'Het is een persoonlijk verhaal.'

'Als je het niet wilt vertellen, snap ik dat.' Ik begin met het snijden van de paprika's. Eerst maar gewoon door tweeën want ik weet niet of ik nu repen of blokjes moet snijden.

'Nee, ik wil je niet afschrikken. Ik vind het soms raar als je iemand net kent om dan direct persoonlijke dingen te vertellen. Begrijp je wat ik bedoel?' Ik moet meteen aan Betty denken, wat een opluchting om even met een normaal iemand te praten.

'Ja, ik begrijp het.'

'Mijn buurman keek naar mijn buik en ging me feliciteren

met mijn zwangerschap. Het viel me toen pas op dat ik inderdaad een bollere buik had en al een tijdje niet ongesteld was geworden. Ik was helemaal in de wolken dat er weer een baby bij zou komen, jaren hebben we geprobeerd om een derde te krijgen. Ik ging naar de dokter omdat de test 'niet zwanger' aangaf, en hij vertelde mij dat ik in de overgang zit. Ik ben veel te jong om al in de overgang te zitten, ik moest iets doen om het te verwerken. Sporten is voor mij pure ontspanning, dus vandaar dat ik hier ben.' Ik draai mijn gezicht subtiel en kan geen buikje ontdekken.

'O, dat verklaart een hoop. Ik dacht al wat doet die perfect afgetrainde vrouw hier, zij heeft dit helemaal niet nodig.' Ik besluit de paprika's in repen te snijden, dat lijkt me minder werk.

'Dank voor je compliment. Ik heb de afgelopen weken iedere dag sit-ups gedaan.'

'Hallo?' Ik hoor Betty's stem, daar gaat onze rust. Betty komt dansend binnen. 'Kennen jullie dit liedje? Zo'n lekker nummer.' Ze houdt haar smartphone in de lucht en begint mee te zingen.

'Wat kun je goed zingen,' roep ik verbaasd. Betty kan een irritante zeurstem opzetten, maar ze zingt als een engel.

'Ja, ontzettend mooi,' beaamt Veronique.

'Het is ook zo'n goed nummer van James Olivier, een nieuw talent uit de us.'

'Wat?' roep ik uit. 'Dat is mijn ex-vriendje. Hij wilde inderdaad altijd zanger worden.'

'Dat meen je niet! Hij is een superster. Hoe lang heb je iets met hem gehad?'

'Even denken. Volgens mij heb ik bijna twee jaar met hem gedatet. Hij was mijn eerste grote liefde. Hij heeft mij ontmaagd op het strand in Bali.' Dit laatste floept eruit voordat ik er erg in heb. Ik heb nu al spijt.

'Wat romantisch,' gilt Betty. Ze zet het liedje opnieuw aan op haar telefoon. 'Luister naar de tekst. Volgens mij gaat het liedje over jou. *"Sex on the beach."*'

Dat Betty die tekst zo snel kan ontleden. 'Luister. Hij zingt ook: *"why did you leave me?"* Had jij het uitgemaakt?'

'Ja, ik had het uitgemaakt.'

'Waarom?'

'Ik weet het niet meer. Volgens mij gingen we verhuizen en ik wilde geen langeafstandsrelatie, maar hij wilde dat wel.'

'Hoe gaat het koken?' Mijn moeder staat nu ook in de keuken. Dat was te voorspellen. 'Dames, zitten jullie naar muziek te luisteren terwijl Veronique kookt?'

'Ik heb alles onder controle, Rita. Ik vind het heerlijk om te koken, pure ontspanning.' Wat is dit voor iemand? Ze houdt waarschijnlijk ook van poetsen. Alles wat ik vreselijk vind, vindt zij heerlijk.

'Die dochter van mij is ook een portret, zij moest koken vanavond. Ik ken haar niet anders dan dat ze uiteindelijk alles goed voor zichzelf weet te regelen. Ze is en blijft een verwend nest, ik ben daar zelf debet aan geweest. Veronique, geef die kinderen taakjes in het huishouden...'

'We zijn er net achter gekomen dat James Olivier de ex is van Emma. Hij is nu een wereldberoemde zanger,' tettert Betty.

'Wat enig voor hem, ik zal zijn moeder een belletje geven. Waarom had die jongen jou ook alweer in de steek gelaten?' Mijn moeder steunt met haar handen op de rugleuning van een stoel om vervolgens krampachtig te gaan zitten. Ik ben gelukkig niet de enige met spierpijn. Betty lijkt nergens last van te hebben, ze springt als een kangoeroe door de keuken. Onbegrijpelijk.

'Ik had het uitgemaakt.' Ik trek de velletjes van mijn vinger en zie dat er een zwart randje onder mijn nagel zit. Gatver, niet echt hygiënisch. Het idee dat er koeienvlaai onder mijn nagels zit maakt mij ongemakkelijk. Ik kijk naar de berg gesneden paprikareepjes, zo meteen krijgt de hele groep wormpjes.

'Dat kan ik toch niet allemaal onthouden, kind. Meestal werd jij in de steek gelaten, meen ik mij te herinneren.' Wat weet mijn moeder altijd weer leuke opmerkingen te plaatsen.

'Bedankt mam.'

'Hij zingt "*Sex on the beach*" in zijn liedje.' Ik doe mijn hand voor de mond van Betty, hopelijk ziet of ruikt ze niet de koeienvlaai onder mijn nagels. Ze duwt hardhandig mijn hand weg. 'Doe normaal, Emma.'

'Wat wilde je zeggen, Betty?'

'Hij zingt in het liedje over Emma.'

'O, dat is wel heel romantisch,' zwijmelt mijn moeder. Terwijl ze nooit een grote fan van James geweest is. Ze zag hem niet als de ideale schoonzoon.

'Hij heeft haar ontmaagd op het strand in Bali, daarover gaat het liedje.'

'Betty, je praat tegen mijn moeder.' Ik kan de woede in mijn stem niet onderdrukken.

'Wat doe je moeilijk. Ik deel altijd alles met mijn moeder.'

'Ik niet, Betty'.

'Kind, maak je niet druk.' Ze schudt haar hoofd. 'Met nieuwjaar in Bali zaten jullie allebei onder de uitslag, denk je dat ik niet doorhad wat jullie die nacht uitgespookt hadden? Ik vertrouwde hem voor geen cent, die jongen is slecht nieuws, geloof me.'

'Je hebt nooit een woord met hem gewisseld.' Mijn moeder heeft altijd iets aan te merken op mijn vriendjes. Bloedirritant. Maar als ik geen vriend heb dan is ze bang dat ik voor eeuwig alleen zal zijn en dat ze nooit oma gaat worden.

'Kunnen jullie aardig tegen elkaar doen?' Betty heeft haar kleuterstem weer gevonden. 'Ik vind het heel gezellig om met jullie op bootcamp te gaan, maar als jullie steeds ruziemaken dan vind ik het niet leuk.' Ze gaat op de stoel naast mijn moeder zitten en doet haar handen voor haar ogen. Gaat ze huilen? Ik ben perplex.

'Ach, je hebt helemaal gelijk, lief kind.' Mijn moeder wrijft met haar hand over de rug van Betty.

'Emma, zijn de paprika's al klaar?' vraagt Veronique. Ik zie haar achter vier stomende grote pannen staan, ik heb geen idee wat ze allemaal gemaakt heeft. Wat een supervrouw is dit.

'Ja, hier zijn ze. Ik moet alleen even naar het toilet,' roep ik. Daar kan ik grondig mijn handen wassen zonder het gezeik van mijn moeder aan mijn hoofd.

'Smoesjes.' Mijn moeders stemvolume is zacht, maar het is hard genoeg voor mij om te horen.

'Ik hoop dat jij wormpjes krijgt,' zeg ik zachtjes. Dat hoort zij niet als de klapdeuren van de keuken achter me dichtvallen.

Nadat ik uitgebreid mijn handen gewassen heb open ik Twitter om te zien of James een account heeft. Zodra ik hem heb gevonden druk ik op 'volgen', en bedenk wat ik zou kunnen twitteren. *Gaat het liedje "Don't leave me" over mij? @Jamesolivier*. Ik tweet het bericht en hou mijn ogen dicht. Wat heb ik gedaan? Hij zal wel honderden berichten krijgen als beroemde zanger. Ik check hoeveel naar hem getweet wordt, gelukkig val ik niet op.

Mijn telefoon trilt na twee minuten. Het is een bericht terug van James: *'Het liedje heet: "#Why did you leave me?" @Emmaschelp Ben je een #JamesOlivierfan? Natuurlijk gaat het over jou…'* Wat stom van me, ik had even de juiste titel moeten checken.

Mijn telefoon gaat weer af, dit keer een privébericht van James.

'Ik ben binnenkort in Nederland voor opnames. Zullen we dan afspreken?' Mijn buik kriebelt, het idee om James weer te ontmoeten is onwerkelijk. Tien jaar geleden lagen we nog samen op het strand. We vierden met een groep vrienden en onze ouders de feestdagen op Bali. Op oudejaarsavond gingen we uit in een grote club, ik droeg een gouden glitterjurkje dat ik speciaal had gekocht om oud en nieuw in te vieren. De club had een groot zwembad waarboven aan de lopende band feestvierders aan het bungeejumpen waren. Er werd rijkelijk *junglejuice* met elkaar uitgewisseld, vloeistof in grote oranje flessen en met een alcoholpercentage waarmee je een olifant kunt omleggen. We gingen net voor twaalf uur stiekem naar het strand zonder dat de anderen het doorhadden. Het was stil op het strand en we ploften neer op het zachte zand. Het was de eerste keer dat iemand 'ik hou van je' tegen mij zei, ik kan me zelfs niet herinneren dat mijn moeder dat ooit tegen me heeft gezegd. De zwoele zoete lucht en het zachte zand verleidden ons tot *'sex on the beach'*. Van tevoren had ik niet bedacht dat het zou gebeuren die nacht, maar het was vanzelfsprekend. De sterrenhemel als uitzicht, het geluid van de woeste Balinese zee en met als kers op de taart het vuurwerk dat losbarstte rond de jaarwisseling. Ineens verlang ik terug naar die tijd, alles leek zo simpel. De dag daarna hadden we allebei rode vlekjes over ons hele lichaam, het uiterlijke bewijs van onze bezegelde liefde. We waren gestoken door rode mieren die we niet hadden gezien in het zand, dat was mijn moeder niet ontgaan.

Ik glimlach en staar naar zijn bericht en tik een berichtje naar hem terug.

'Ja, laat maar weten wanneer je hier bent.'

11

Ik lig op een strandstoel midden in de sneeuw met de zon op mijn gezicht, tegen het licht in zie ik Randall op mij af skiën. Zijn atletische lichaam gaat heen en weer, zijn ski's liggen netjes parallel naast elkaar. Hij stopt precies voor mijn ligstoel en de sneeuw stuift omhoog. Hij klikt met zijn skistok zijn voeten los en hurkt naast me. 'Lieve Emma, wil je met me trouwen?' Uit zijn broekzak haalt hij een doosje van Tiffany's en klapt het open. Een prachtige gouden ring met diamantjes schittert naar me. Ik trek Randall naar mij toe en hij laat zich op mij vallen. 'Ja, ik wil met je trouwen,' fluister ik in zijn oor.

'Ga van me af!' hoor ik iemand een paar bedden verder fluisteren. Ik trek de deken over mijn hoofd. Het is toch nog geen ochtend. Droomde ik nou dat ik met Randall op wintersport was en dat hij mij ten huwelijk vroeg? 'Hou op,' het is een mannelijke stem, nu iets luider.

'Ssst,' sis ik. We hebben iemand die praat in zijn slaap, irritante vent. Ik heb mijn nachtrust hard nodig.

'Doe niet zo moeilijk, *babe*.' Is dat de stem van Betty? Ik ga rechtop in bed zitten. Au. Mijn buik trekt zich samen. Ik knijp mijn ogen tot spleetjes om te zien wat er aan de hand is.

'Wat doe je hier?' Ik herken nu de stem van Shawn. Wat is

Betty aan het uitspoken? Ik zie geen hand voor ogen.

'Ik wilde je verrassen,' fluistert ze net iets te hard. Ik hoor wat gedraai in andere bedden.

'Betty, ga naar je eigen bed.' De stem van Shawn klinkt resoluut. Is ze bij hem in bed gekropen?

'Ik weet zeker dat je het lekker vindt.' Zegt ze dit echt? Ik moet iets doen.

'Nee, alsjeblieft. Je maakt iedereen wakker,' probeert hij.

'Ga anders met me mee naar de kazerne?' vraagt Betty. 'Kunnen we samen onder de warme douche kruipen?' Ze weet niet van ophouden.

'Betty, ga terug naar je eigen bed. We hebben morgen weer een zwaar programma voor de boeg.'

'Zullen we morgennacht dan afspreken?' smeekt ze. Ik zit verstijfd in mijn bed en hoop dat de rest van de groep hier doorheen slaapt. Zachtjes praten en Betty is helaas geen gelukkige combinatie.

'Nee, ik ben jullie trainer. Dit gaat niet.'

'Dus als bootcamp is afgelopen wil je wel met mij daten?' Ik grinnik zachtjes, Betty laat zich niet zomaar aan de kant zetten. *You go girl.*

'Nee, eerlijk gezegd niet,' antwoordt Shawn. Mijn handen knijpen in de dekens want ik ben bang voor hetgene dat nu gaat komen. Niets. Stilte.

Na ongeveer tien seconden hoor ik een snik. Shit. 'Vind je mij dik?' O nee. Waarom vraagt ze dat steeds?

'Je doet er nu toch iets aan.'

'Je vindt me dus dik,' hikt ze. Ik kijk om me heen en kan niet zien of ik de enige ben die wakker is geworden.

'Je bent niet slank, maar je hebt een ontzettend sportief lichaam.' Die Shawn is echt een goedzak.

'Betty, hou je hand bij je.' De stem van Shawn klinkt opeens erg hoog.

'Ik heb nog nooit een man ontmoet die mijn *extra special* massage niet lekker vindt.' Ik moet haar redden, denk ik. Ik klim met moeite uit de hoogslaper. Als ik van tevoren had geweten hoeveel pijn het allemaal zou doen had ik gekozen om onderop te slapen. Met een plof bonzen mijn blote voeten op de koude stenen. Ik doe mijn Uggs aan, zo blij dat ik die heb meegenomen.

'Je valt op mannen,' roept Betty uit. 'Nu snap ik het.'

'*Whatever*,' hoor ik Shawn zeggen.

'Wat leuk. Ik heb altijd een homovriendje willen hebben. Wil je dan met mij gaan shoppen?'

Ik zet mijn bril op en loop in de richting van de stemmen.

'Betty, ben je weer aan het slaapwandelen? Kom mee.' Ik pak haar hand.

'Shawn is net uit de kast gekomen, hij valt op mannen.' Ze kijkt me met haar grote uitpuilende ogen aan. Ze doet me aan een stokstaartje denken.

'Betty, het is midden in de nacht, ik ben geen homo, oké. Ik wil gewoon slapen.'

'Ik begrijp het al, hoor. Je bent verliefd op Emma. Fantastische Emma met haar slanke lichaam, ze kan niet eens een kilometer hardlopen of opdrukken. Dat maakt niet uit want alle mannen vallen altijd op Emma.' Ik ben te moe om erop te reageren. Sta ik hier met mijn goede bedoelingen om haar te redden.

'Ik ga naar het toilet, welterusten.' Ik loop de tent uit naar de kazerne, de kou slaat direct op mijn blaas.

'Wacht, Emma,' roept Betty. Wil ze de hele tent hier wakker schreeuwen?

'Ssst.' Ik houd mijn vinger voor mijn mond.

'Heb jij een bril?' Ze kijkt me aan alsof ik een soort alien ben.

'Ja, en ik denk dat er wel meer dingen zijn die je van mij niet weet.'

'Je hoeft niet meteen zo boos te doen. Sorry, hoor. Ik maak alleen maar een opmerking over jouw bril.' Ik bespaar mezelf de moeite om haar aan te spreken over dat 'alle mannen op mij vallen.'

'Ik heb spierpijn en het is midden in de nacht.'

'Ja, dat snap ik. Ik kan het niet helpen dat jij moet plassen. Je had ook niet zo veel thee moeten drinken, ik had je nog gewaarschuwd.' Ik bijt op mijn lip en ga er niet op in.

'Schiet je op?' Ik loop het wc-hokje in en begin te plassen. In het hoekje van het toilet is een spinnenweb, ze hebben hier duidelijk lang geleden voor het laatst schoongemaakt. Al hangend boven de toiletbril zie ik lichte bruine strepen. 'Je plast als een paard,' hoor ik Betty zeggen. Ik stap het hokje uit en was grondig mijn handen, in de spiegel kijkt een bleke vrouw met diepe wallen onder haar ogen mij emotieloos aan.

'Wat was jij je handen grondig.'

'Hou op,' roep ik uit.

'Sst.' Ze houdt net zoals ik net deed haar vinger voor haar mond. 'Waar moet ik mee ophouden?' vraagt ze met een zacht stemgeluid. Blijkbaar kan ze het wel.

'Gewoon,' zeg ik. 'Laat maar zitten.' Ik haal mijn schouders op want het heeft geen zin. Ik kijk Betty aan en zie dat de tranen over haar wangen rollen, ze maakt ook een snikkend geluid. Shit. Daar gaat mijn nachtrust.

'Niemand vindt mij leuk,' hikt ze. 'Ik dacht dat wij vriendinnen waren. Je doet sinds we hier zijn heel onaardig tegen mij en je wilt niet eens zeggen wat ik verkeerd doe. Ik heb het al zo moeilijk.' Ze huilt nu heel hard, het galmt door de toiletruimte.

'Wat is er aan de hand, waarom heb je het al zo moeilijk?' vraag ik.

'Je doet ook onaardig tegen je moeder.' Waar bemoeit ze zich mee? Ik sluit mijn ogen en schud mijn hoofd. Zit ik hier midden in de nacht op vakantie op een ijskoud toilet Betty te troosten. 'Je moet blij zijn dat je ouders leven.' Ik probeer te graven in mijn geheugen, ik zou zweren dat ze het vandaag nog over haar moeder had.

'Je zei dat je alles met je moeder deelt. Leeft ze niet?' Mijn keel knijpt zich samen.

'Jawel, maar mijn vader is tien jaar geleden overleden aan een hartaanval. Hij was ook gymleraar. Hij heeft nooit gerookt en was het schoolvoorbeeld van hoe je gezond moet leven.'

Ik wrijf haar op haar rug. 'Ik vind het erg voor je.'

'Er is iets heel ergs gebeurd een tijdje terug.' Betty's stem is monotoon. Ze zeurt ineens niet, geen kinderstem of piepstem. Ze klinkt nu vlak en serieus. Zou haar moeder ernstig ziek zijn? Arm kind.

'Is er iets met je moeder?'

'Nee, gelukkig niet.' Ze begint weer harder te huilen. 'Zo erg is het ook weer niet.'

'Vertel, wat is er aan de hand?'

'Ik heb een paar weken geleden meegedaan aan een televisieprogramma, een zangshow die op zoek is naar nieuw talent.'

'Ben je niet door? Onbegrijpelijk! Je zingt prachtig.'

'Vind je dat?' Ze kijkt mij lachend met tranen in haar ogen aan.

'Ja, ik hoorde je het liedje van James zingen, ik vond je stem echt prachtig.' Mijn arm ligt nog steeds troostend om haar heen, haar zachte warme lichaam verwarmt mijn lichaam door mijn pyjama heen.

'Dat is lief van je, Emma. Dat doet me goed.'

'Vertel meer over dat televisieprogramma, ik ben benieuwd.' Er zitten kleine beige tegeltjes op de vloer, de lijnen beginnen te draaien voor mijn ogen.

Betty begint weer heel hard te huilen. 'Het is een heel gênant verhaal, ik durf het aan niemand te vertellen.' Ik had niet kunnen raden dat Betty gêne überhaupt kende, ik hou haar dichter tegen me aan, mijn lichaam begint wat op te warmen.

'Zo erg kan het toch niet zijn,' reageer ik.

'Jawel, het is een vreselijk verhaal. Ik heb meegedaan aan de audities voor dat tv-programma. Na de voorselectie mocht ik echt auditie doen in de studio voor een jury en ik heb de longen uit mijn lijf gezongen. Ik deed het goed, dat weet ik zeker. Aan het einde van mijn auditie vroeg iemand van de jury wat voor baan ik had. En toen ik vertelde dat ik lerares was op een middelbare school zei één van de andere juryleden: "Ik mag hopen dat je geen gymlerares bent." Alle juryleden barstten in een lachsalvo uit, omdat zij zijn grap zo leuk vonden. Ik stond daar op die stip te wachten en toen het weer stil werd moest ik het zeggen. Ik zei: "Ik ben inderdaad gymlerares." De gehele jury, inclusief James Olivier, moest toen natuurlijk nog harder lachen, maar nu ook alle cameramensen en productiemensen. Alleen een vrouw in de verte die ook een beetje dik was niet, maar alle ogen waren op mij gericht. Dat jurylid met van die stomme krullen is zelfs uit zijn stoel gevallen van het lachen. Ik werd ontzettend kwaad, dat begrijp je.' Betty kijkt me even aan en ik knik instemmend. Het klinkt inderdaad wel heel erg. 'Ik ben kwaad weggelopen. Ik wil niet aan een programma meewerken waar ze zo disrespectvol met mensen omgaan.'

'Waren ze echt zo hard aan het lachen? Misschien maak je het in je hoofd erger dan dat het daadwerkelijk was.'

Betty krabt op haar hoofd, haar rode krullende haar is ontploft. 'Het was echt heel erg, geloof me. Oorverdovend gelach. Maar het ergste is dat het binnenkort wordt uitgezonden op tv en ik schaam me kapot. Wat zal mijn moeder ervan vinden? En zelfs Matthieu weet het niet, hij vindt dat allemaal niks. Dat weet ik zeker.' Ze snikt verder. 'De kinderen op school zullen me pesten.' De waterlanders stromen weer over haar wangen. Ik houd gepaste afstand in verband met eventuele luizen, want ze blijft aan haar hoofd krabben, en klop maar zachtjes op haar schouder.

'Heb je al gebeld om te vragen of ze het niet uit willen zenden?'

'Nee, niet aan gedacht. Wat een goed idee.' Als sneeuw voor de zon is haar huilbui verdwenen.

'Je belt gewoon morgenochtend *first thing* die lui op en eist dat ze je auditie niet uitzenden.'

'Wil jij dat voor mij doen?' Ze heeft haar innerlijke kleuter weer gevonden. Hoe is zij ooit geslaagd voor haar docentendiploma?

'Dat kun je prima zelf.'

'Ik ben veel te emotioneel. Ik weet zeker dat ik moet huilen of dat ik kwaad word.'

'Oké. Je hebt een punt.' Ik denk even na. Voor me staat een mollige volwassen vrouw die gekleed in een Rapunzelpyjama twintig minuten eerder de bootcampleider probeerde te 'masseren'. Ze kijkt me hoopvol aan en ik kan er niets aan doen, uit het niets vind ik haar best een beetje aandoenlijk.

'Ik zal morgen voor je bellen,' zeg ik.

'Dank je wel, je bent zo'n schat. Ik hou van je, *girl*.' Ze duikt met haar hoofd in mijn schouder. Ik draai mijn gezicht zodat ons haar geen contact heeft. Ik voel overal kriebels op mijn hoofd. Ik denk aan warme koeienvlaai, wormpjes en luizen. Het is vreselijk hier.

12

'Even geduld, Betty.' Ik sta buiten op de binnenplaats te bellen terwijl Betty naast me springt. Ik ben al tien minuten bezig met de juiste persoon aan de telefoon te krijgen zodat haar auditie niet wordt uitgezonden. 'En?' vraagt Betty voor de honderdste keer. 'Betty, ga alsjeblieft naar binnen. Ik sta nog steeds in de wacht. Drink een kop koffie, of zo. Ik kan niet bellen als je zo naast me staat te huppelen.' Binnen zitten onze boot-camp-lotgenoten relaxed een kop koffie te drinken. Betty stond erop dat ik buiten zou bellen omdat zo niemand kon meeluisteren, dus nu sta ik met mijn goede bedoelingen in de kou. Met mijn hand wrijf ik aan mijn neus die als een ijspegeltje aanvoelt en ik denk aan mensen waarvan ledematen eraf vriezen als ze op expeditie zijn op de Noordpool. Ik vraag me af wanneer mijn neus van mijn gezicht valt. Ik begin te springen om het warmer te krijgen, maar mijn lichaam protesteert bij iedere beweging die ik wil maken. Spierpijn hebben is onmenselijk.

'Ik zal niets meer zeggen, echt niet.' Ze slaat haar armen over elkaar heen. Ik begin een idee te krijgen hoe het voelt om kleine kinderen te hebben: afgelopen nacht heb ik geen oog dichtgedaan en discussies gevoerd die nergens toe hebben geleid.

'Ik ga ophangen,' dreig ik. Ik houd mijn telefoon in de lucht.

'Nee, niet doen.'

'Hup, naar binnen jij.' Ze rent blij als een kind naar binnen en ziet er zelfs bijna schattig uit. Is ze nu al afgevallen?

'Hallo? Is daar iemand?'

'Ja, sorry. U spreekt met Emma Schelp.'

'Je wilde jouw auditie niet uit laten zenden, begrijp ik. Kun je je nog herinneren dat je een contract hebt ondertekend?' vraagt de stem aan de andere kant met een belerende toon.

'Ik bel niet voor mezelf, ik bel namens mijn vriendin.' Nu denkt hij natuurlijk dat ik een lesbo ben.

'Kan jouw vriendin zich herinneren dat ze een contract heeft ondertekend?' Ik hoor hem zuchten aan de andere kant van de telefoon. 'Jouw vriendin hoeft zich sowieso geen zorgen te maken, maar een heel klein percentage van de audities wordt uitgezonden.'

'Zou u kunnen uitzoeken of haar auditie wordt uitgezonden?'

'Ze is akkoord gegaan met onze voorwaarden,' zijn stem klinkt resoluut.

'Gelden deze voorwaarden ook als iemand psychische problemen heeft? Ik heb wat juridisch advies ingewonnen en dat ziet er niet best uit voor u,' bluf ik. Er is even een stilte.

'O. In dat geval. Wat is haar naam?'

'Betty...' Ik kom niet op haar achternaam en vraag me af of ik die weet of ooit heb geweten.

'Betty, de gymlerares?' vraagt hij. Ik hoor hem door de telefoon grinniken.

'Ja, inderdaad,' zeg ik opgelucht.

'Wat jammer dat ze psychische problemen heeft. Ze heeft over een aantal weken de volgende auditieronde. Moet ik haar van de lijst halen?'

'Is ze door naar de volgende ronde?' roep ik uit.

'Ja, wist je dat niet? Je bent toch een vriendin van haar?'

'Dat klopt, maar ik wist niet dat ze door is naar de volgende ronde.'

'Ik betwijfel of dat ze dat zelf weet.' 'Moet ik haar van de lijst halen? Jammer dat we de auditie niet uit kunnen zenden. Is ze opgenomen?' Hij blijkt nu meer empatisch vermogen te hebben dan aan het begin van het telefoongesprek.

'Nee, haar vader is overleden.' Ik moest snel iets bedenken waardoor je psychische problemen kunt hebben die begrijpelijk zijn. Haar vader is ook overleden, dus ik lieg niet tegen hem.

'Dus Betty gaat gewoon verder met de audities?' vraagt hij.

'Ja.' Ik kan me niet voorstellen dat ze dat niet zou willen.

'Dat betekent dat haar auditie wordt uitgezonden, we moeten haar auditie uitzenden als ze door wil. Als ze ervoor kiest om niet verder te gaan, wil ik gezien deze bijzondere omstandigheden de auditie eruit halen.'

'Ga er maar vanuit dat ze door wil gaan met het programma. Mocht dat niet zo zijn dan laat ik dat weten.'

'Het zou ontzettend zonde zijn als ze niet doorgaat, ze heeft een dijk van een stem.' Ik hoor aan zijn stem dat hij het meent.

'Daar ben ik het helemaal mee eens.'

'Sterkte voor Betty, gecondoleerd namens iedereen hier.' Ik voel me een beetje schuldig dat ik het overlijden van haar vader heb gebruikt.

'Zal ik doen.' Mijn telefoon stop ik in mijn legerpak, gelukkig heeft het dragen van deze hobbezak ook zijn voordelen.

'Sorry, vader van Betty. Het was niet helemaal mijn bedoeling,' zeg ik met mijn ogen gericht op de wolken. 'U wilt toch ook het beste voor haar?'

'Kind, tegen wie sta je te praten?' Mijn moeder staat achter me.

'Tegen niemand. Laat me met rust.' Ik loop weg van mijn moeder, maar ik heb direct spijt. Betty heeft misschien wel een punt dat ik onaardig ben tegen mijn moeder.

De zware deur van de kazerne duw ik moeizaam open, het lijkt wel alsof de bootcamptraining mij slapper maakt in plaats van sterker. Betty hupst mij al tegemoet. 'En?'

'Zullen we eerst even een kopje koffie halen?'

'Die staat al klaar voor je, ik dacht al dat je toe was aan een kopje koffie.' Ze knijpt in mijn koude hand en kijkt me met een onschuldige blik aan. 'Nou, eerlijk gezegd had Veronique dat gedaan, maar het was wel mijn idee.' Veronique zit aan tafel op ons te wachten.

'Hoe is het gegaan, Emma? Ik heb Betty opgevangen, wat een verhaal.' Veronique neemt een slokje van haar verse muntthee. Haar donkere lange haren heeft ze los, het valt me op dat ze een heel knappe vrouw is. Het zou me niet verbazen als ze fotomodel is geweest.

'Ik heb goed nieuws.' Ik wrijf mijn handen tegen elkaar.

'Het is je gelukt.' Betty gooit zichzelf in mijn armen en ik val bijna van mijn stoel.

'Ga zitten Betty.' Betty gaat braaf op haar stoel zitten. Ik trommel met mijn vingers op de tafel. 'Je bent door naar de volgende auditieronde.'

Ze springt in de lucht. 'Echt waar?' Ze rent een rondje om de tafel. Ze vouwt haar handen samen en maakt cirkelende bewegingen in de lucht, het dansje doet me denken aan Chandler uit *Friends*. '*Yes, yes, yes.*' Ik leun achterover in mijn stoel en ben al lang blij dat ze niet boven op mij springt. 'Komen jullie dan naar mij kijken in het publiek?'

'Ja, leuk,' reageert Veronique.

'Je bent geweldig, Emma. Jij krijgt altijd alles voor elkaar.'

Ik voel mijn wangen gloeien. 'Dat valt wel mee, hoor.'

'Nee, ik meen het serieus. Jij krijgt alles voor elkaar. Ik ben zo ontzettend blij: mijn auditie wordt niet uitgezonden én ik ben door naar de volgende auditieronde. Hoe moet ik dit aan Matthieu uitleggen?' Shit, denk ik.

'Matthieu is jouw vriend, neem ik aan?' vraagt Veronique. 'Hij moet dit fantastisch nieuws vinden.'

'Nee, hij wilde niet dat ik naar de auditie ging. Hij vindt dat soort programma's oppervlakkig.' Haar armen hangen naast haar lichaam, de energie van het dansje van daarnet is verdwenen.

'Maar meedoen aan audities om je droom te verwezenlijken, dat moet hij wel begrijpen.'

'Vind je mij mooi?' vraagt Betty uit het niets. De kwetsbaarheid in haar stem is duidelijk hoorbaar.

'Je bent prachtig.' Ik denk dat Veronique het meent. 'Je hebt een prachtige dieprode haarkleur en ik vind jouw energieke uitstraling fantastisch.' Energieke uitstraling, tja, zo zou je het ook kunnen omschrijven.

Betty werpt zich in de armen van Veronique en ik geloof dat ik niet meer haar beste vriendin ben. 'Euh dames, ik moet nog één ding zeggen,' hakkel ik.

'Ben je jaloers, Emma? Kom erbij, gekkerd.' Ze zwaait naar mij, haar kipfiletje deinst heen en weer onder haar bovenarm. Daarachter zie ik een zwart plukje. Ik kijk snel de andere kant uit. Veronique is helemaal bedolven door Betty en ik ben bang dat ze breekt.

'Je auditie wordt wel uitgezonden.' Oké, het is eruit.

'Wat?' Betty staat op en doet haar handen voor haar gezicht. Ze gaat toch niet weer huilen?

'Als je door wilt naar de volgende auditieronde moeten ze het uitzenden...'

'Nee.' Ze schudt haar hoofd.

'Het is best logisch, ze willen een kandidaat vanaf het begin volgen,' leg ik uit. Ik ga rechtop in mijn stoel zitten en de spieren in mijn buik protesteren bij de beweging die ik maak. 'Zo erg kan die auditie toch niet geweest zijn,' zegt Veronique. Fijn, ik heb een medestander. 'Ik wil het niet. Ik wil het niet. Ik wil het niet.' Ze heeft haar vingers in haar oren en schudt haar hoofd. Ik zat er niet heel ver naast met die psychische problemen. Veronique kijkt naar me en doet haar armen in de lucht. 'Betty, dit is jouw droom. Je was net nog zo blij dat je door was.' Veronique geeft het niet zomaar op. 'Ik wil het niet,' herhaalt ze. Nu zonder haar vingers in haar oren. 'Blaas het maar af, Emma. Ik wil niet op televisie komen, niet met die auditie.' 'Denk er nog even over na,' opper ik. 'Ik hoef er niet over na te denken. Ik wil dat je ze vandaag nog terugbelt om te zeggen dat ik me terugtrek.' Ze loopt stampvoetend weg, ik zie haar tuinbroekbillen de deur uit lopen en de hoek om gaan. En dan, waar Betty net daarvoor verdween, verschijnt het gezicht van mijn moeder in de deuropening. 'Wat is er aan de hand?' Mijn moeder heeft de gave om op het verkeerde moment binnen te lopen en zich ergens mee te bemoeien. 'Niks, mam.' 'Ben je gemeen geweest tegen Betty? Ze is een vriendin van je. Ga naar haar toe om het goed te maken.' 'Rita, laat Betty maar eventjes. Emma probeert haar juist te helpen.' Dank je wel Veronique. 'Helpen? Dat meiske is helemaal overstuur, ik weet niet wat Emma heeft gedaan om haar zo aan het huilen te krijgen.' Veronique pakt het steeltje van de verse munt en roert door haar thee. Mijn moeder is Oost-Indisch doof. 'Heb je al koffie gezet?' Ik krimp ineen. Praat ze nu tegen Veronique alsof ze een soort bediende is?

'Ja, ik heb koffie gezet, het staat klaar in de keuken.'

'Ik hoop niet dat het al oud is,' mompelt mijn moeder en ze loopt van ons weg.

'Ach, we hebben allemaal een slechte nacht gehad,' zucht Veronique. 'Wat was er precies aan de hand?'

'Daar heeft mijn moeder geen last van gehad in haar privéverblijf.'

'O ja, zij heeft die hele toestand gemist. Als ik had geweten dat je een kamer kon boeken, dan had ik dat ook gedaan. Weet jij wat er aan de hand was?'

Ik wil heel graag aan Veronique vertellen dat Betty in bed was gekropen bij Shawn om hem een massage te geven. 'Betty had een nachtmerrie over die zangauditie,' verzin ik.

'O, dan zit het haar wel heel hoog. Zonde dat ze opgeeft, vind je niet?'

'Ja, het is superjammer, maar het is haar leven en ze moet haar eigen keuzes maken. Je zou het niet zeggen, maar ze is een volwassen vrouw die haar eigen keuzes kan maken.'

'Ja, en jij mag ze oplossen,' lacht Veronique.

Ik voel mijn been trillen. Een *appje* van 'Niet bellen'.

Hi lieverd, ik mis je. Ook hier op het werk... X

Ik verschiet van kleur. Wat moet ik hier nou weer mee?

'Berichtje van je *lover*?' vraagt Veronique.

'Zoiets ja, het is ingewikkeld.' Ik staar naar mijn scherm en bedenk wat ik terug moet sturen.

'Liefde is meestal ingewikkeld. Ben je verliefd op hem?'

'Ja, ik ken hem van mijn werk en dat is niet handig.' Veronique knikt naar me. Wat ben ik blij dat ik eindelijk een normaal gesprek kan voeren.

'Je kunt altijd van baan wisselen. Ik ben ooit op mijn baas gevallen en nu zijn we met elkaar getrouwd.'

'Wat romantisch.' Ik fantaseer dat ik in een bruidsjurk mijn ja-woord uitspreek tegen Randall. In mijn droom vroeg hij mij ten huwelijk, het voelde realistisch.

'De koffie was oud, ik heb nieuwe moeten zetten.' Mijn moeder gaat op de plek van Betty zitten en trekt een zuur gezicht. 'Zo, dames. Waar hadden jullie het over?' Ze kijkt naar Veronique.

'Ik zat net te vertellen hoe ik mijn man heb ontmoet.' Ik steek mijn duim op richting Veronique zonder dat mijn moeder het ziet.

13

Op het smoezelige blauwe tapijt liggen een paar uitgetrapte sigaretten, blijkbaar heeft niemand de moeite genomen om deze op te ruimen. Ik zit op een fauteuil al tien minuten te wachten, de receptioniste achter de balie is uitgebreid privé aan het bellen. Mijn spieren staan nog steeds stijf en ik zie ertegen op om zo meteen op te staan. De ligging van dit hotel is midden op een industrieterrein, ik had op mijn iPhone gecheckt waar het dichtsbijzijnde hotel was om Randall te ontmoeten. In *the middle of nowhere* dus...

'Kun je vooruit betalen, mevrouwtje?' De mevrouw achter de receptie wuift naar me. Ze ziet eruit alsof ze iedere dag onder de zonnebank ligt. Haar lichtgrijze haar geeft licht ten opzichte van haar gebruinde huid.

Met moeite hijs ik mezelf uit de stoel. Haar ogen volgen mij als ik naar de toonbank loop. Ik overhandig mijn creditcard. 'Alstublieft, mevrouw.'

'Wij accepteren alleen contant.' Met haar arm maakt ze een afwerende beweging alsof mijn creditcard een hondendrol is en haar toon klinkt alsof ik hiervan op de hoogte had moeten zijn. Haar blote arm heeft een rimpelige huid.

In mijn portemonnee heb ik gelukkig voldoende cash en ik overhandig haar vijftig euro. Ze legt een kaart op de toonbank. 'Het is op de eerste verdieping.' Ze wuift wederom met haar hand in de lucht.

'Is het goed als ik nog even wacht op mijn afspraak?' piep ik.

'Ik stuur hem wel door.'

'Hij heet Randall van der Heijden,' zeg ik haar.

'Ja, is goed.' Ze pakt de telefoonhoorn weer op. 'Ja, sorry. Ik ben op mijn werk en moest even afrekenen,' babbelt ze in de telefoon.

Er is op het eerste gezicht nergens een lift te bekennen, ik wandel het trappenhuis in en een geur van rotte eieren bedwelmt me. Bij iedere tree die ik neem wordt de lucht ijler om me heen. Mijn rode pumps zakken weg in het tapijt. Voor me doemt een nauwe hal met hetzelfde tapijt op en ik zoek naar de deur met mijn kamernummer. Het is een raar contrast dat dit hotel *wel* een geavanceerd kaartensysteem heeft, maar geen luchtverfrissing.

De houten deur piept open en de bedompte lucht lijkt erger te worden. Op het blauwe tapijt zie ik oude grijze vlekken. Of is het een grijs tapijt met blauwe vlekken? Ik sluit de deur achter me en loop snel naar het raam om het te openen. De handgreep van het raam voelt plakkerig aan en hoe hard ik ook trek, ik krijg het niet open. Mijn buikspieren spannen zich samen, mijn buik begint te steken. Die verdomde buikspieroefeningen. Mijn handen laten de handgreep los. Ik laat mezelf op het bed vallen dat aanvoelt als een stapel houten planken. Maar dit bed is beter dan het krakkemikkige stapelbed, ik sluit even mijn ogen en probeer de lucht te negeren, die duidelijk van de gebreide sprei komt. Er wordt op de deur geklopt.

Zo snel als mogelijk is strompel ik naar de hoteldeur en zwaai deze open. Geen Randall. Ik sta oog in oog met een man met grijs haar en een bierbuik.

'Hallo,' zeg ik.

Zijn ogen glijden over mijn lichaam, ondanks dat ik mijn zwarte cocktailjurkje aan heb voel ik me ineens naakt. 'Zo, jij ziet er lekker uit.' Hij heeft een accent dat ik niet kan plaatsen, het zou mij niet verbazen als hij op een boerderij woont.

'Ik verwacht iemand anders,' leg ik uit.

'Je hebt het niet altijd voor het uitzoeken, meissie,' lacht hij. 'Laat je mij nog binnen?'

'Ik heb met iemand anders afgesproken, meneer.'

'De receptie heeft mij dit kamernummer doorgegeven, ik heb al betaald.' Hij geeft me een zetje waardoor ik naar achteren wankel en val.

Hij loopt verder de kamer van twintig vierkante meter in en gooit zijn jas over de stoel. Mijn jas en tas liggen op het bed en ik doe in mijn hoofd een berekening of ik het red om heen en weer te gaan. Mijn autosleutels heb ik nodig om hier weg te vluchten. Ik sluip voorzichtig naar het bed en ik grijp mijn spullen. Net op het moment dat ik wil gaan rennen staat hij voor me. 'Maar dit is niet de afspraak,' bromt hij, wel half lachend. 'Ik weet dat ik heb gevraagd om een beetje rollenspel.'

'Dit is geen rollenspel. U heeft een afspraak met iemand anders.'

Er wordt op de deur geklopt. 'Emma?' hoor ik. Dit is Randalls stem.

'Help Randall,' gil ik.

'Doe de deur open.' De krachtige stem van Randall dreunt door de deur heen.

'Nee, daar doe ik niet aan,' zegt de man terwijl hij voor me blijft staan. 'Twee vrouwen vind ik lekker, maar ik wil niet een vrouw delen met een andere man,' briest hij.

'Laat mijn afspraak binnen. In de kamer hiernaast zit vast een andere vrouw op je te wachten.'

'Ik heb nog nooit zo'n lekker ding gehad.' Op zijn voorhoofd zie ik zweetdruppels ontstaan. Zijn bruine bloeddoorlopen ogen kijken mij indringend aan en er hangt een spruitjeslucht om hem heen. 'Ik laat me dit niet zomaar afpakken.'

'Randall, ik ben hier. Je moet me redden!' schreeuw ik zo hard ik kan.

Met een klap vliegt de deur open. Randall heeft de deur opengetrapt en rent op mij af. Hij trekt mij met zijn ene arm naar zich toe en met zijn andere arm staat hij klaar om mijn belager een knal te verkopen. 'Vieze verkrachter,' roept hij uit.

'Dit is een misverstand,' verdedigt de man. De man die zich net zo stoer voelde krimpt in elkaar als een angstig haasje. 'Sorry, ik dacht dat ze...'

'Wat?' vraagt Randall dreigend. Zijn borstkas is twee keer zo breed als die van de man voor hem.

'Ik ga naar een andere kamer.' Hij pakt zijn jas van de stoel en rent de hotelkamer uit. Wat er nog over is van de hoteldeur zet hij stuntelig terug.

De armen van Randall omsluiten mijn lichaam en ik begraaf me in hem. 'Ik heb je gemist,' snik ik. Warm vocht rolt over mijn wangen, het proeft zout op mijn lippen.

'Pop, is dit je vakantieadres?'

'Nee, dit hotel was dichtbij. Zoals je weet ben ik met mijn moeder op vakantie.'

'Volgens mij is dit een "afwerkhotel", zullen we snel weggaan hier en een lekker restaurantje in de buurt zoeken?'

'Ik wil nog even mijn handen wassen.' Ik trek de badkamerdeur open en kijk een kast in met hangers.

'Dat is de kast,' proest Randall uit.

'Waar is dan de badkamer?' Ik kijk om me heen en zie nergens een andere deur.

Randall kijkt me geamuseerd aan, de kuiltjes in zijn wangen zijn duidelijk zichtbaar. 'Heb je al in de hal gekeken?'

'De badkamer is in de hal?' vraag ik.

'Ja, een gezamenlijke badkamer. Dat krijg je als je dit soort hotels uitzoekt om elkaar te ontmoeten. Zullen we hier weggaan en naar iets gezelligs gaan?'

Ik loop achter Randall aan terug naar het trappenhuis. Als we bij de receptie aankomen kijkt de receptionist me geniepig aan. Zou ze die meneer expres naar mij gestuurd hebben? 'Mevrouw, weet u nog een leuk restaurantje in de buurt?' vraagt Randall.

'Een Chinees?' vraagt ze.

Randall kijkt mij vragend aan: 'Waar heb je zin in, Emma?'

'Ik heb zin in sushi.' Het water loopt me al in de mond bij de gedachte aan een tonijn sashimi en een california roll.

'Soesjes, laat me even denken. In het dorp is een banketbakker, die verkoopt soesjes. Waarschijnlijk is die niet meer open rond deze tijd.'

Ik rol met mijn ogen naar Randall. 'Dank je wel,' zegt hij beleefd. De deur zwaait open en het voelt als een bevrijding om de geasfalteerde parkeerplaats op te lopen.

Nadat ik achter Randalls Porsche aan ben gereden door verschillende dorpjes, hebben we uiteindelijk een pizzeria gevonden. Als iemand me zou vragen waar we ons bevinden, heb ik geen idee. We hoefden niet eens parkeergeld te betalen. Het restaurant is niet druk, er zit een ander stel bij het raam. Het restaurant heeft verschillende houttinten. Of ze proberen de sfeer van een klein stadje als Lucca in Toscane na te bootsen, of dat ze gewoonweg meerdere partijen hout bij de bouw op de kop hebben getikt, is mij niet duidelijk. Er is weinig verlichting, het kaarslicht schijnt op Randalls gezicht.

'Hoe krijg je het voor elkaar, Emma?' Randall schudt met

zijn hoofd. 'Ik begin nu echt te twijfelen of je er geen tweede leven op nahoudt.' Randall grinnikt en vervolgt: 'Door de week is Emma een financieel adviseur, maar in het weekend doft ze zich op en gaat op pad om mannen te verleiden.'

'Waarom praat je ineens met een raar accent?' vraag ik.

'Ik doe Jambers na, die Belg met dat televisieprogramma.' Hij hikt van het lachen en ik begrijp er niets van.

'Dat ken ik niet.'

'Ik vergeet altijd dat je niet in Nederland bent opgegroeid.' Hij neemt een hap van zijn pizza.

'Ik heb een Nederlands paspoort,' antwoord ik.

'Ik moest je zien, Emma,' verandert hij van onderwerp. Hij kijkt me intens aan. 'Ik ben een wrak zonder jou. Ik had je liever meegenomen naar Toscanini om dit te zeggen.'

Met mijn vork draai ik door mijn smakeloze salade, ik weet niet wat ik tegen hem moet zeggen. Ik ben nog steeds kwaad over de promotie, maar ik besef dat ik hem heel erg mis.

'De voogdij over mijn kinderen staat op het spel. Momenteel speel ik mooi weer thuis totdat alle financiële en voogdijzaken zijn afgewikkeld. De reden dat ik je de promotie niet heb gegeven is omdat ik met jou verder wil.'

Voorzichtig kijk ik op van mijn bord en zijn ogen kijken mij priemend aan. Mijn wangen kleuren en alles begint op zijn plek te vallen. Hij heeft mij de promotie niet geven omdat hij verliefd op mij is. Zijn hand pakt de mijne en er gaat een schokje door mijn lichaam. Hij houdt ook van mij. 'Jeetje, zo had ik het nog niet bekeken.' Op de achtergrond hoor ik zachtjes muziek van Eros Ramazzotti, het tafelkleed op onze tafel is van bordeauxrood wegwerppapier en de wijn smaakt alsof het uit een kartonnen doos komt. Dit alles maakt me niets uit, zijn woorden en zijn aanraking geven mij het gevoel alsof ik wegsmelt op deze stoel.

'Wil je met mij verder, Emma?'

'Ja, heel graag.' Ik durf hem niet aan te kijken.

'Ga je met me mee terug naar Amsterdam? Ik kan niet nog langer zonder je.'

'Nee, ik ben met mijn moeder op vakantie. Over een paar nachtjes ben ik weer terug, sorry.' Met liefde zou ik mijn stapelbed verruilen voor mijn eigen bed in Amsterdam, maar ik kan Betty nu niet in de steek laten. Daarnaast moet ik fysiek sterker worden zodat ik niet meer ongewenst belaagd word.

'Dan neem ik je mee naar Toscanini, pop.'

14

Ik voel me alweer de *nerd*, het is gek om de slechtste van de klas te zijn. Ik zie de groep hardlopen in de verte en mijn moeder is gestopt om zich te rekken tegen een dikke boom. Dit keer lopen we door het bos, dus ik hoef me geen zorgen te maken over koeienvlaaien. Wel ben ik al door de paardenpoep gelopen. Ik hoor vogelgeluiden boven mijn hoofd, ik moet terugdenken aan toen er laatst in Amsterdam een vette klodder op mijn haar viel uit het niets midden in de stad. Met mijn hand voelde ik dat bijna mijn hele haar erdoor besmeerd was, het kleefde als lijm aan mijn handen. Verderop zag ik een duif op een dak zitten en ik besefte dat het vogelkak was. Ik voelde me het zieligste meisje van de hele wereld. Ik belde naar kantoor om uit te leggen dat mij iets heel raars was overkomen en dat ik later kwam. 'Iets raars?' vroeg Els. 'Ja, er heeft een duif op mijn hoofd gepoept,' piepte ik. In afwachting van een lachsalvo reageerde ze: 'Ach stel je niet aan, dat hebben we allemaal wel eens meegemaakt.' Er was net op mijn hoofd gekakt door een vliegende rat! Ik wist het toen zeker: Els is de grootste bitch *ever*.

'Kom op,' roept mijn moeder naar me. Ik ga expres wat langzamer lopen. Hup, lopen mam. Ze blijft stilstaan. 'Je kunt het.' Mijn moeder is mij aan het aanmoedigen, *nice*.

'Ja, ik weet wel dat ik het kan,' zeg ik als ik haar voorbij jog. Ze haalt mij in.

'Ik wilde even gezellig met je kletsen.'

'Ik ben buiten adem,' hijg ik.

'Stel je niet zo aan, zo heb ik je niet opgevoed. Wij zijn echte Schelpen, wij geven het nooit op.' Mijn moeder is geen 'echte Schelp'. Dit gevoelige onderwerp kan ik maar beter laten. Mijn moeder voelt zich een buitenbeentje in de familie. Ze doet zo haar best om erbij te horen dat ze de plank steeds opnieuw misslaat. 'Ik wil nu dat verhaal van je horen. Hoe zit dat nou? Betty vertelde dat je voor hoer werd uitgemaakt?'

Begint ze hier alweer over? Sinds we op bootcamp zijn aangekomen, probeert ze achter dit verhaal te komen. Ik word er gek van. 'Het was gewoon een misverstand,' leg ik voor de honderdste keer uit.

Ik overweeg even het hele verhaal gewoon te vertellen, maar ik weet niet waar ik de puf vandaan moet halen. 'Ik werd op straat uitgescholden voor hoer,' verzin ik.

'Er lopen zo veel gekken op straat. Je moet je door zo'n opmerking niet uit het veld laten slaan, lieverd.' Noemde ze me nou lieverd? 'Ik ben altijd al bang geweest dat ik je te veel beschermd heb als kind, je kleuterjuf zei al dat je niet weerbaar genoeg was.' Daar gaan we weer.

'Ik werd in een klas gezet met allemaal Engelssprekende kinderen die ik niet kon verstaan,' puf ik. Dat zijn mijn eerste herinneringen. Ik weet nog dat mijn moeder zei: 'Trek je er niets van aan, praat gewoon terug in het Nederlands, ze begrijpen je wel.' Ik vroeg aan een jongetje of hij met mij wilde spelen en hij liep weg zonder iets te zeggen.

'O ja, dat was ik vergeten. Je deed dat best knap, je kon al snel vloeiend Engels spreken. Ik ben nog steeds jaloers op je. Na al die jaren heb ik nog steeds zo'n vreselijk Nederlands accent.' Ik was niet weerbaar, maar ik was wel knap. 'Je bent altijd een slimme meid geweest, maar op het sociaal-emotionele vlak liep je gewoon wat achter,' zegt ze alsof ze mijn gedachten kan lezen.

'Wat een onzin,' roep ik uit.

'Dat weet je allemaal niet meer. Je vader en ik hebben ons ernstige zorgen over je gemaakt. Gelukkig is het helemaal goed met je nu. Alleen nog een man.' Ik geef het op. Mijn moeder is gek, dat is de enige uitleg.

'Waarom was je gisterenavond weg?' vraagt ze.

'Ik had een spoedgeval op mijn werk,' lieg ik.

'Dat moet ik geloven, kind. Je bent geen arts.'

'Kom op, dames Schelp, het is hier geen theekransje. We zitten op jullie te wachten voor de rek- en strekoefeningen,' roept Shawn.

'Dit is één van de belangrijkste oefeningen om blessures te voorkomen,' legt hij uit als we ons bij de groep voegen. 'Het lijkt een beetje op yoga. Ga maar met je benen wat uit elkaar staan, voeten onder de heupen en laat je handen op de grond vallen.' Ik doe precies wat hij zegt en raak met mijn vingers net de grond. 'Goed zo, Emma.' Eindelijk doe ik iets goed. 'Veronique, wauw!' Shawn klapt in zijn handen. 'Je bent echt heel lenig.' Ik draai mijn hoofd in Veroniques richting en zie dat hij haar op haar onderrug aanraakt. Aait hij haar kont? 'Zo, je kunt zelfs nog dieper,' zegt hij. Er ontsnapt een kreunend geluidje uit Veroniques mond. Ben ik de enige die dit ziet?

'Help, Shawn.' Betty hupst met haar benen veel te wijd naar Shawn. Met haar lichaam duwt ze hem weg bij Veronique. 'Kun je mij ook even duwen.' Met haar kont in zijn gezicht, ik glimlach. Natuurlijk was ik niet de enige die dit zag. Ik kijk naar de rest van de groep die helemaal in de oefening lijkt op te gaan. Ik sluit mijn ogen en voel alle spieren in mijn lichaam, dit is eigenlijk best lekker.

Mijn bed is de enige plek waar ik even alleen kan zijn, ik neem de kou op de koop toe om tot rust te komen. De tent is ongeveer vijftig vierkante meter groot en er zijn twee rijen met stapelbedden opgesteld. Het bed heeft een stalen frame en het matras is dun, ik voel de gaasbodem door het matras heen prikken. Bij iedere beweging die ik maak kraakt het bed, als een oude deur die heel zachtjes open wordt gemaakt. De eerste nacht dacht ik steeds dat er iemand binnenkwam, terwijl in de tent niet eens een echte deur zit maar een lap stof die indringers tegen zou moeten houden. Hopelijk is het terrein beveiligd. Kun je je zoiets afvragen op een legerbasis?

Ik staar naar het berichtje van Randall op mijn telefoon:

'Ik mis je nu al, pop. Kom alsjeblieft naar huis? X'

Ik denk aan de woorden van Veronique, zij is uiteindelijk met haar baas getrouwd. Zo kan het ook lopen. Hij heeft me geen promotie gegeven omdat hij met mij verder wil. Ik trek de deken over mijn hoofd en tik met trillende vinger:

'Ik mis jou ook, met mijn moeder op vakantie was niet zo'n briljant idee... XOXO'

Mocht er ooit een bruiloft komen, dan mag Veronique mijn bruidsmeisje zijn. Nog even geniet ik van de warmte onder mijn deken in mijn bed. Mijn telefoon trilt, dat is snel.

'Zal ik je op komen halen?'

'Haha, goede grap. Dat zal mijn moeder niet waarderen.'

'Ik heb een idee. Je trekt dat zwarte sexy jurkje aan van gisteren en we gaan naar Hotel Excelsior. Ik speel pooier en jij bent mijn hoertje ;-)'

Om deze grap kan ik niet lachen.

'Grapjas.'

'Wanneer zullen we afspreken? Ben je morgen weer terug?'

'Ik sms je wel als ik weer in Amsterdam ben. Mijn moeder logeert bij mij dus afspreken is lastig.'

'Ik weet nog wel een leuk hotelletje... X'

'Ja, dat geloof ik. Tot snel, XOXO.'

'Dag pop.'

Ik laat mij zakken vanuit de hoogslaper. Ik benijd mijn moeder met haar comfortabele kamer en bed. Het heeft een tweepersoonsbed met een comfortabel matras, ieder matras is beter dan waar ik nu op slaap. Zelfs het matras in het ranzige hotel van gisteren voelde beter aan. Daarnaast heeft ze een eigen badkamer, waardoor ze niet met haar toilettas over het terrein hoeft te wandelen als ze wil douchen. Nog belangrijker: ze hoeft niet te wachten op haar beurt bij het douchen.

Ik besluit Veronique te helpen met koken en strompel de tent uit naar de kazerne, niet dat Veronique iets aan me heeft in de keuken. Ze heeft aan de groep voorgesteld dat ze iedere avond kookt, omdat het 'haar favoriete momentje van de dag' is. Ik ga aan haar vragen of ik voortaan bij haar gezin mag aanschuiven, ze kookt verrukkelijk.

De geur van knoflook komt me tegemoet als ik voor de klapdeur van de keuken sta. Ik zwaai de keukendeur open en knipper met mijn ogen. Zie ik dit goed? Shawn en Veronique staan dicht tegen elkaar aan. Ze raken elkaar niet aan, maar het voelt alsof ik ze in een intiem gesprek stoor en ze hebben niet eens door dat ik hier sta. Er hangt een elektrisch geladen spanning om hen heen.

Ik schuif met mijn voeten naar achter om zo geruisloos mogelijk de keuken te verlaten. 'Piep.' Zijn dat mijn voetzolen? Shawn en Veronique kijken mij verschrikt aan. 'Jullie zijn aan het koken?' vraag ik. Waarom zeg ik dit? Misschien heeft mijn moeder gelijk en ben ik inderdaad sociaal niet zo vaardig als ik denk.

'Ik moet gaan.' Shawn jogt de keuken uit.

'Ik wilde je helpen, niet dat je iets aan mij hebt.'

Veronique rent op een pan af die hevig stoomt en trekt er snel de deksel vanaf zodat het niet overkookt. 'Precies op tijd. Zou je de aardappels kunnen schillen?'

'Sure.' Ik pak een mesje en plof neer op een stoel, en in die val naar beneden spannen mijn bilspieren zich pijnlijk samen. Ik weet niet waar Veronique de kracht vandaan haalt om na zo'n zware dag op haar benen te staan.

'Ik begrijp mezelf niet.' Ze snijdt de uien en haar rode ogen tranen. Zouden het de uien zijn? Of de emotie?

Betty walst de keuken binnen, perfecte timing heeft ze. 'Veronique, waarom moet je huilen?' vraagt ze. Zou ze Betty in vertrouwen nemen?

'Uien.' Veronique wijst met haar mes naar de uien.

'Wat gek, je houdt zo van koken. Kun je niet eens tegen wat uien?' Ze loopt op Veronique af en duwt haar weg. 'Laat mij maar.' Betty lijkt ook niet moe te zijn na een dagje bootcamp.

'Ik heb zin in een wijntje,' zeur ik. Ik wist niet dat ik een verslaving had en bij bootcamp hoort natuurlijk een week geen alcohol.

'Ja, ik ook.' Veronique duikt de koelkast in en houdt een fles witte wijn in de lucht. 'Wij koks mogen toch best een glaasje.'

Betty begint te juichen. 'Ja, ik lust er ook wel eentje, goed plan. Ik wil jullie nog iets vertellen.' Betty begint te gieren van het lachen.

'Je maakt me nieuwsgierig, Betty.' Ondertussen schenkt Veronique de wijnglazen in.

'Jullie moeten beloven het niet verder te vertellen, oké?'

'Natuurlijk niet,' zegt Veronique.

Betty kijkt mij aan. 'Heb ik ooit iets doorverteld?'

'Ik denk dat er iemand verliefd op me is...' Ik laat het keukenmesje uit mijn hand vallen.

'Wie dan?' vraagt Veronique. Michiel en Sjoerd zijn naast Shawn de enige mannen en ik zou zweren dat Michiel en Sjoerd bij elkaar horen.

'Jullie moeten raden.' O nee. Ze maakt het nog pijnlijker.

'Is Matthieu hier? Wat leuk zeg. Ga je ons nog aan hem voorstellen?' vraagt Veronique.

'Nee, fout geraden. Natuurlijk is hij hier niet, hij weet niet eens dat ik op bootcamp ben. Hij wil niet dat ik afval. Ik zal het verklappen: het is Michiel.' Ze neemt een grote slok van haar wijn.

'Weet je het zeker?' vraag ik.

'Hoe bedoel je? Natuurlijk weet ik het zeker.'

'Is hij geen homo dan?' Dit had ik beter niet kunnen zeggen.

'Nee, hij kleedt me uit met zijn ogen, *girl*.' O nee, daar gaan we weer. Ze wijst met haar handen naar zichzelf. 'Ik word ontzettend geil van hem.'

'Ik wil dit niet horen,' roep ik uit. Veronique kijkt mij dankbaar aan.

'Sorry, hoor. Ik wil gewoon wat delen met mijn *girlfriends*.' Ze begint als een idioot in te hakken op de uien.

Veronique houdt een geschilde aardappel in de lucht. 'Kijk eens, Betty. We eten vanavond vierkante aardappels.' Betty giert het uit van het lachen en is niet meer geïrriteerd.

Mijn moeder verschijnt in de deuropening. 'Drinken jullie wijn? Doe mij ook een glaasje, Veronique.' Ik sla mijn handen voor mijn gezicht. Gatver, ik ruik de grondlucht van de aardappels aan mijn vingers. Ik pers mijn lippen op elkaar zodat er geen vieze aarde in mijn mond terechtkomt.

'Hier, een glaasje wijn voor Rita.' Veronique overhandigt mijn moeder een glas witte wijn. Hoe doet ze dat zo snel? Mijn moeder neemt naast mij plaats. 'We waren net de vierkante aardappels van je dochter aan het bewonderen,' lacht Veronique.

'O vreselijk. Je kunt het haar niet kwalijk nemen. Ze weet niet beter dan dat we altijd personeel in huis hadden. Ze is een verwend nest!'

Veronique geeft me stiekem een knipoog en houdt haar glas naar mij geheven. Ik geloof dat ik een nieuwe vriendin heb gevonden.

15

'Hi lieverd, hoe gaat het met je?' De stem van Randall voelt warm in mijn oor. Ik loop de slaaptent uit naar de kazerne. Mijn haren zijn nog nat van het zweet en voelen koud aan tegen mijn hoofdhuid. De training vandaag zit erop en ik weet niet waar ik de energie vandaan moet halen om deze avond te overleven.

'Goed. Heb je me ergens voor nodig? Alles goed op kantoor?' Door het harde werken hier heb ik geen moment nagedacht over werk.

'Ik bel voor jou.' Ik hoor aan zijn stem dat hij glimlacht. 'Ik heb zin in je. Je kunt mij toch wel weer heel even ontmoeten?'

'Ja, ergens in een hotel zeker.'

'Echt? Stuur me je adres. Niet weer dat smerige hotel van een paar dagen terug.' Dacht hij dat ik dat serieus meende?

'Nee, joh. Doe niet zo gek, ik ben met mijn moeder op vakantie.' Hij moest eens weten hoe ik mezelf hier aan het afbeulen ben.

'Je bent gestoord. Wie gaat er nou met haar moeder op vakantie?' Ik hoor hem lachen en ik hoor ook dat hij in zijn auto zit.

'Ben je al onderweg naar huis?' vraag ik. Normaal gesproken is hij rond deze tijd nog op kantoor.

'Ja, ik moet een eitje bakken voor mijn kinderen. Mijn vrouw, euh, ex-vrouw is er niet en ze hebben al twee dagen niet gezond gegeten.'

'O.' Ik visualiseer dat Randall gezellig met zijn kinderen thuis is, hij moet wel een fantastische vader zijn. Zou hij behoefte hebben om meer kinderen te krijgen, vraag ik me af.

'Ik heb trouwens de manager van het hotel gesproken. Barry heeft een officiële waarschuwing gekregen voor zijn gedrag. Daarnaast neemt het hotel contact op met jou.'

'Ik wil helemaal geen contact met dat hotel.' Waarom word ik steeds weer met dit vervelende incident geconfronteerd, ik wil er nooit meer aan herinnerd worden.

'Je weet maar nooit. Misschien kunnen we er nog wat leuks aan overhouden? Het is een heerlijk hotel en ik moet altijd aan jou denken als ik daar ben. Jouw geweldige lichaam, ik heb zin in jou.' Zijn schorre zware stem is sexy. Mijn benen trillen, ik ben blijkbaar nog steeds gek op hem. Of komt het door het joggen door het drassige weiland hier?

'Ik heb ook zin in jou.' Ik kijk om me heen. Dit zou precies het moment zijn waarop mijn moeder of Betty achter mij zouden kunnen staan, maar gelukkig is er niemand. 'Als ik terug ben ga ik je op jouw bureau neuken.' Wat bezielt me? Dat zou ik nooit doen, mijn moeder heeft gelijk: ik ben echt sociaal gestoord.

'Ik doe mijn broek uit en ga mij afrukken,' hijgt hij. Wat doet hij nu? Dat is hartstikke gevaarlijk in het verkeer. Ik zie twee van die lieve kindertjes voor me die wachten op hun papa die niet thuis komt. *Sorry, papa had een auto-ongeluk, hij was met zichzelf aan het spelen en had zijn nieuwe vriendin aan de telefoon.*

'Nee, niet doen,' roep ik uit. Ik sta buiten op de binnenplaats van de kazerne en ben bang dat iemand mij kan horen. Of nog erger: dat iemand Randall kan horen. Gelukkig is dat laatste onmogelijk.

'Ik ben zo geil. Ik kan het niet tegenhouden, je maakt me gek. Ga door.'

'Je moet het echt niet doen. Zo meteen veroorzaak je nog een ongeluk, het is ontzettend gevaarlijk.'

'Ja, ga door.' Huh? Wordt hij hier opgewonden van? Shit.

'Ik meen het serieus, je moet er echt mee ophouden. Ik smeek het je.'

'O jaaa. O jaaa.' Wat moet ik doen? Komt hij nu klaar? Ik trek mijn zakdoekje uit mijn zak en klem het in mijn hand, die heb ik niet nodig. Ik visualiseer zijn sperma op het stuur. Gatver. Hij moet dat straks schoonpoetsen. Of zou hij het laten zitten? 'Dat was heerlijk, pop. Ik moet nu ophangen, tot snel.'

Zou hij zijn handen gaan wassen voordat hij een eitje bakt voor zijn kinderen? 'Stop, Emma,' zeg ik tegen mezelf.

'Het valt me op dat je vaak in jezelf praat. Gaat het wel goed met je, kind?' Mijn moeder wrijft met haar gemanicuurde handen over mijn haar. Ze is al helemaal gedoucht en omgekleed. Ze heeft een blauw mantelpakje aan, als je haar ziet lopen zou je denken dat ze naar een haringparty gaat.

'Iedereen praat in zichzelf. Dat is niet raar.'

'Ik praat nooit in mezelf. Moet je je niet opfrissen, kind? Ik ga naar de computerzaal om een e-mail te sturen naar je vader.' Eindelijk ben ik van haar af, ze is daar minstens een uur zoet mee. Het kost haar een half uur om in te loggen en ze heeft Betty als IT-helpdesk gebombardeerd. *Lucky me.*

Ik plof neer op de bank in de kazerne. Zou deze ruimte gebruikt worden als de soldaten pauze hebben? Het is een gezellige zithoek bij de openhaard, ik voel me hier bijna thuis. Ik trek mijn benen op de leren bank en ga in kleermakerszit zitten. Ik overdenk het telefoongesprek met Randall. 'Wil je iets drinken?' Veronique staat met een dienblad in haar hand iedereen te serveren alsof het haar eigen horecatent is. Kan ze niet even stilzitten?

'Nee, dank je. Kom gezellig zitten.' Ik klap met mijn hand op de bank, ik moet weer aan Randall denken.

'Gaat alles goed? Heb je koorts?' Ze legt haar hand op mijn voorhoofd en ik hoop vurig dat ze zojuist haar handen heeft gewassen. Een walm van zeep vindt mijn neus. Natuurlijk heeft Veronique haar handen gewassen.

'Ik geloof dat ik net telefoonseks met mijn baas heb gehad.'

'*You go, girl.*'

Ik kijk om me heen om te zien of Betty in de buurt is. 'Je gaat niet praten zoals Betty, begrepen?' We proesten het uit van het lachen.

'Je weet niet zeker of je telefoonseks had? Hoe werkt zoiets?'

'Hij had meer telefoonseks met mij, dan ik met hem.' Het valt me op dat ze mooie wimpers heeft, ze lijkt een beetje op Bambi.

'Ja, daar hebben mannen wel vaker last van. Egocentrische eikels kunnen het zijn, ik begrijp precies wat je bedoelt.' Voor het eerst hoor ik scherpte in haar stem.

'Is er iets gebeurd?'

'Nee, natuurlijk niet. Ik heb het over mannen in het algemeen.' Ze schudt haar hoofd. 'Ze willen allemaal maar één ding.'

'Waarom was je laatst van slag in de keuken?'

'Geen idee. Ik was in gesprek met Shawn en liet me meevoeren in het moment. Ik kan me niet heugen dat ik me zo gevoeld heb. Hij is oprecht geïnteresseerd in wat ik te vertellen heb.' Er ontstaan blosjes op haar wangen. 'Ik ben al zo lang getrouwd en ik vraag me soms af of mijn man mij nog een boeiende vrouw vindt?'

'Natuurlijk vindt hij jou boeiend.'

'Dat is lief van je. Ik weet het niet. Ik mis de aandacht bij hem die ik nu van Shawn krijg.'

'Ja, dat viel me al op tijdens de yoga-oefeningen.'

'Heb je dat gezien? O, wat gênant.' Ze doet haar hand voor haar mond. 'Ik wist niet wat ik moest doen. Ik wilde die hand van hem daar heel graag, maar ik was hartstikke bang dat iemand het zou zien. Was je de enige die dat zag?'

'Nee. Betty had het ook door, maar ze heeft een nieuw slachtoffer.' Ik knik met mijn hoofd in haar richting zonder dat Betty het door kan hebben. Ze staat geanimeerd met Michiel te praten, hij lijkt het prima te vinden.

'Oké. Zij heeft toch al heel lang een vriend?'

'Ja, en jij bent toch getrouwd?' Veronique loopt rood aan.

'Dat was een grapje, hoor,' zeg ik snel.

'Je hebt helemaal gelijk. Wie ben ik om te oordelen?'

'Ik heb telefoonseks met mijn baas. Wat moet er van ons terechtkomen?' Dat hij nog getrouwd is laat even achterwege.

'Als Ran erachter komt dat ik met iemand anders flirt dan vraagt hij per direct een scheiding aan.' Zei ze Rem of Ran? Mijn hart klopt in mijn keel. Het kan toch niet zijn dat haar man mijn baas en minnaar is?

'Dat lijkt mij wat overdreven.' Ik weet niet hoe ik deze zin eruit heb gekregen.

'Ik weet het zeker, ik ken hem ondertussen al een aantal jaar.' Het kan Randall niet zijn en hij moet een andere Ran zijn, waarschijnlijk heet hij Randy. Randalls vrouw was vreemdgegaan met de buurman en ik weet zeker dat Veronique dat niet heeft gedaan.

'Wat doet jouw man in het dagelijks leven? Heeft hij een

drukke baan?' Ik stel deze vraag zo nonchalant mogelijk. Ze lijkt geen argwaan te hebben.

'Hij heeft een hele drukke baan. Ik heb mijn baan opgezegd zodat hij zich kon richten op zijn carrière en ik voor de kinderen kon zorgen. Beetje burgerlijk, dat begrijp ik.' Waarom vertelt ze me niet wat hij doet. Ik zou het liefste door willen vragen.

'Jij werkte toch voor hem?' Ik trek aan mijn nagelriemen.

Ze gaat op de leuning van de bank zitten, dichter bij mij zodat het niet meer lijkt alsof ik een bestelling aan haar doorgeef. 'Ja, ik was zijn secretaresse, inderdaad een cliché-verhaal. De baas die de koffer in duikt met de secretaresse.' Ik hou me in en vraag niet welke branche. 'Hij was wel vrijgezel, hoor.'

'Wat een grappig verhaal, zo kan het inderdaad ook lopen.'

'We maakten van die lange dagen en van het één kwam het ander.' Dit zou zomaar Randall kunnen zijn, maar het zou zomaar ook iemand anders kunnen zijn.

'Maakt hij nog steeds lange dagen?'

'Bedoel je of ik bang ben of hij nu vreemdgaat met zijn huidige secretaresse? Nee, hij zou nooit vreemdgaan.' Nee, het moet een andere Randall zijn. De huidige vrouw van 'mijn Randall' is vreemdgegaan met de buurman. Ik denk terug aan de liefdevolle sms'jes die ik las in de hotelkamer.

'Lieverd, kun je me helpen? Het lukt me niet om in te loggen?' De timing van mijn moeder is *priceless*.

'Kan Betty je niet helpen? Ik zit midden in een gesprek en ik ben niet zo goed met computers.'

'Ik moet nu echt gaan koken, de tijd vliegt.' Veronique kijkt gestrest naar haar horloge. 'Ga jij je moeder maar helpen.'

'Hup, Emma. Ik wil een e-mail sturen voordat we gaan eten.' Ik sjok achter mijn moeder aan. Waarom mailt ze niet gewoon vanaf een smartphone zoals de rest van de wereld?

'Ik kan je e-mailaccount op jouw nieuwe iPhone installeren. Dat is veel makkelijker.'

'Nee, alsjeblieft niet. Je zei net nog dat je niet handig was met computers. Je moet niet jokken, kind.' Mijn moeder heeft een iPhone 5 en ze weet niet eens wat een app is.

'Ik ben wel handig met telefoons.'

'Je wilt altijd het laatste woord hebben.'

Ik bijt op mijn tong, volgens mij kan ik beter even niets zeggen.

16

'Ik weet niet wat ik moet doen. Ik ben bang dat ik gevoelens krijg voor Shawn.'

'Heb je met hem gezoend?' vraag ik. Mijn knieën steunen stiekem op de grond tijdens de 'plankoefening'. Shawn leunde met zijn onderarmen op de grond en hield daarmee zijn lichaam als een rechte plank naar zijn tenen. Bij zijn demonstratie dacht ik dat het een eitje was, maar na ongeveer tien seconden begon mijn lichaam al te trillen en brak mijn plank in tweeën.

'Nee. Maar ik voel me toch ontzettend schuldig. Ran stuurt me steeds lieve sms'jes, en ik zit hier met een tien jaar jongere man te sjansen.'

'Ik denk niet dat hij tien jaar jonger is.' Mijn Randall stuurt toevallig ook lieve sms'jes, dat hoeft nog niets te zeggen.

'Het zal niet veel schelen.' Veronique is zich alweer als een bezetene aan het uitsloven, ze zit al vele minuten in de plankpositie. Ik zit in mijn inmiddels vertrouwde houding met mijn kont in het koude gras. Ik weet niet waar Veronique de energie vandaan haalt? Ze heeft ondertussen ook door dat ik niet kan sporten of koken en dat ik haar gewoon gezelschap wil houden.

'Hoe oud is Ran eigenlijk?' Ik doe mijn knieën weer omhoog zodat het eruitziet alsof ik in ieder geval een poging doe om 'de plank' weer te proberen. De ergste oefeningen zijn degene die er makkelijk uitzien, dat zijn meestal de venijnigste van allemaal.

'Hij is twee jaar ouder dan ik.' Oké, dat zegt nog steeds niets. Ik had een specifiekere vraag moeten stellen. Ik voel dat mijn telefoon in mijn broekzak trilt en laat mij weer op de grond zakken. Een nieuw bericht van 'Niet bellen' zie ik op mijn scherm. Shawn is momenteel bezig met Betty en ik durf even stiekem op mijn telefoon te gluren.

> *'Ik hoor net dat nieuwe liedje op de radio, met de tekst: "sex on the beach". Binnenkort lekker weg naar een tropisch eiland! X'*

Het valt me op dat Randall refereert naar het liedje van James. Mijn benen voelen weeïg aan.

> *'Ja, dat lijkt me heerlijk! Dat liedje gaat over mij, de zanger is mijn ex... XOXO'*

'Natuurlijk gaat dat liedje over jou! Die zanger heeft pech, jij bent de mijne. Trouwens, dat tropische eiland hoeft niet per se. Mijn bureau is ook goed genoeg ;)'

Nou, lekker is dat, ik wilde juist wel graag naar dat tropische eiland. We zijn twee maanden geleden samen romantisch naar Parijs geweest. We moesten naar een financiële beurs om te netwerken, maar na de verplichte etentjes en borrels, sloop ik stiekem naar zijn kamer om de volgende ochtend in zijn armen wakker te worden.

'Doe mij maar dat tropische eiland. Belofte maakt schuld.'

'Dat bedoel ik. Jouw belofte op mijn bureau maakt inderdaad schuld.' Ik sla mezelf voor mijn hoofd dat ik dat heb gezegd tijdens ons bizarre telefoongesprek.

'Dat is toevallig,' zegt Veronique. Ze houdt haar mobiel in haar hand. 'Ran stuurt me net een sms over het liedje van James.' Dit doet ze terwijl ze nog steeds in de plankpositie zit, wat heeft zij onmenselijke armspieren.

'Wat?' roep ik uit. Oeps. Ik houd mijn lippen op elkaar. 'Dat liedje gaat over jou! Ik ga nu direct sms'en dat ik het meisje ken, waarvoor hij dit liedje heeft geschreven.'

'Nee, niet doen. Ik wil niet dat anderen dit weten.' Ik heb mijn stem niet onder controle, ik moet haar tegenhouden.

'Hij kent jou niet, dan maakt het toch niet uit?' Jawel, dat maakt wel uit. Shit. Ik geloof nu toch echt dat haar Ran mijn Ran is, dit kan niet!

'Wat schreef hij dan precies?' Ik probeer haar af te leiden.

'Het is wel een beetje privé, maar jij mag het wel horen.' Veronique houdt haar telefoon dicht bij haar ogen en leest voor: *'Ik hoor net dat nieuwe liedje op de radio, met de tekst: "sex on the beach". Binnenkort lekker weg naar een tropisch eiland! X'*

Mijn Randall is getrouwd met Veronique. Het bevroren gras voel ik door mijn legerpak heen prikken, er gaat een koude rilling door mijn lichaam. Hij stuurt ons identieke berichtjes. De koeien verderop staan als een tribunaal van rechters mij beschuldigend aan te kijken. Hun zwart-witte outfits laten geen ruimte voor een grijs gebied.

'Wat een leuk idee. Samen naar een tropisch eiland.' Ik visualiseer Randall in zijn zwembroek en de afgetrainde Veronique die naast hem staat. Geen grammetje vet aan haar lichaam. Hij lacht liefdevol naar haar, de moeder van zijn bloedjes van kinderen.

'Mag ik het echt niet sms'en?' Ze staat in de aanslag om te typen en houdt haar rug nog steeds recht in plankpositie op één arm. Iets wat ik met beide armen nog geen tien seconden volhou, doet zij moeiteloos minutenlang.

143

'Nee, alsjeblieft niet.' Ik probeer weer in plankpositie te gaan. Au, ieder spiertje in mijn lichaam doet pijn. 'Ik smeek het je, ik wil liever niet dat iedereen dat te weten komt. Zo meteen komen de roddelbladen erachter,' kreun ik. 'Ran praat niet met roddelbladen, hij werkt in *finance*,' lacht Veronique. En nu vertel je wél de branche waarin hij werkt? *Seriously*? 'Zou je het voor je kunnen houden? Het zou ontzettend veel voor mij betekenen.' Mijn hart klopt in mijn keel en ik voel een branderig gevoel achter in mijn neus.

Ze stopt haar telefoon weer in haar speciale sporthouder. 'Natuurlijk. Als jij dat liever niet hebt, dan respecteer ik dat uiteraard.' De vrouw van mijn grote liefde, alias mijn baas, is ontzettend lief. Het zou makkelijk zijn geweest als ze een enorme bitch geweest was. Ik ben de *home wrecker* in dit verhaal, ik laat mijn lichaam vallen op de bevroren ondergrond. Ik commandeer de tranen achter mijn ogen dat ze weg moeten gaan.

'Hi, mijn beste leerling.' Shawn komt onze kant op en hij gaat achter Veronique staan en grijpt haar vast rondom haar middel. Zou hij niet doorhebben dat ik hier op de grond lig, half te huilen? Ik houd mijn adem in.

Nu legt hij zijn hand op haar schouder. Ik zie vanuit mijn ooghoek dat hij op zijn knieën naast haar zit en haar bovenbeen masseert. Veronique lijkt het prima te vinden en ik hoor haar kreunen. Ik vraag me af of dit een sportmassage is, of een erotische betekenis heeft. Mijn maag krimpt ineen, ik zou er een foto van kunnen maken en anoniem naar Randall kunnen versturen. Ik schuif mijn telefoon uit mijn zak en doe de camera aan. Mijn hart slaat een slag over. Ik richt mijn telefoon op ze, je kunt niet echt goed zien dat Veronique dit is. Ik zoom in op het kleffe paartje, helaas zijn ze niet aan het zoenen. Zo perfect is Veronique dus niet, misschien heeft ze ook wel zitten hokken met haar buurman.

'Jij weer.' Shit. Shawn heeft me gezien. 'Zit je een foto van ons te maken?' Ik kan moeilijk zeggen dat ik mijn telefoon in de lucht hou om te sms'en.

'Ja, ik dacht een leuk vakantiekiekje.' Mijn bloed stroomt naar mijn hoofd en ik ben bang dat ik paars aanloop. 'Leuk aandenken voor Veronique.'

'Wilde jij een foto van ons samen hebben?' Hij ontbloot zijn witte kaarsrechte tanden. Is hij nu boos of juist blij?

'Ik zou het wel leuk vinden. Kun je wat foto's van ons maken?' vraagt Veronique. Dit gaat makkelijker dan ik dacht.

Shawn tilt Veronique in de lucht en ze lacht blij. 'Zou je wat foto's kunnen maken met mijn telefoon?' Ik pak haar telefoon van haar aan en zie een sms'je van Randall: *Ik mis je Veertje. Ik hou zo veel van je. X.*' Haar telefoon voelt als een baksteen in mijn hand. Ik ontgrendel de telefoon, een foto van Randall, Veronique en hun twee kinderen flitst op. Hoe oud zijn die kinderen? Het meisje ziet eruit als vijftien. Ze zien er gelukkig uit op die foto.

'Schiet eens op,' roept Shawn.

'Wat een slapjanus ben je,' lach ik. Ik weet niet hoe ik nog normaal kan functioneren. Ik sta foto's te maken van de flirterige vrouw van mijn baas. 'Heb je trouwens *fotostream* op jouw telefoon?'

'Wat is dat?' vraagt Veronique.

'Iedere foto die je maakt wordt geüpload naar de *cloud.*'

'*Cloud*? Ik bemoei me nooit met die technische zaken, daar gaat mijn man over.'

Shawn zet Veronique op de grond. 'We moeten weer verder met de training, komen jullie strakjes achter me aan?'

'Ja, ik zie je zo.'

Hij loopt met grote passen naar de rest van de groep die verderop een parcours aan het lopen is.

'Dat was niet zo handig van me om over mijn man te beginnen, ik ben hier niet voor gemaakt. Ik moet echt kappen met dit gesjans.' De tranen glinsteren in haar ogen.

'Heb je *roaming* aan staan?' vraag ik.

'Wat is er aan de hand? Waarom stelde je die lastige vragen?'

'Als je *fotostream* hebt, dan worden die foto's in de *cloud* gezet en dan worden je foto's overal zichtbaar, dus bijvoorbeeld thuis op je iPad.'

'Shit. Die foto's van net. Kan Randall die nu zien?' Ze doet haar handen voor haar gezicht en ze ziet eruit alsof ze gaat snikken.

Ik open haar fotoboek en *scroll* door de foto's. Ze heeft geen foto's gemaakt de afgelopen dagen. Het zijn vooral foto's van hen samen. Ik voel een steek in mijn buik. Ik zie dat de foto's die ik heb gemaakt niet in *fotostream* staan. Ik overweeg om te zeggen dat ik er niets aan kan doen. Dit kan ik niet maken, ik wil haar helpen. 'De foto's staan nog niet in *fotostream*. Wat wil je dat ik doe?'

'Is dat goed nieuws?' Ze snapt er niets van.

'Ja, dat is goed nieuws. Wil je die foto's bewaren? Je kunt ze ook over de 3G naar mij mailen en dan bewaar ik ze voor je.'

'Wil je ze deleten? Ik hou van mijn man, ik weet niet wat mij bezielde.' Ze legt haar handpalmen op haar wangen en schudt haar hoofd.

'Geen probleem. Je hebt niets verkeerds gedaan.' Ik druk op het prullenbak icoontje en delete de foto's die zojuist gemaakt zijn. De vreugde en de energie spat van de foto's af. Ik zie ze een voor een het prullenbakje in vliegen.

'Dank je wel, je hebt mijn huwelijk gered,' snikt Veronique. 'Ik begrijp mezelf niet. Ik wil Ran voor geen goud kwijt.' Veronique hupst ondertussen sportief op haar plaats.

'Ik weet het niet meer. Zeg me wat ik moet doen?'

Ik zou het liefste willen zeggen dat ze Shawn moet gaan versieren, maar ik kan het niet. 'Je bent al zo lang getrouwd met Randall. Wil je dat opgeven omdat je sjans hebt met een andere man? Hoe goed ken je Shawn?' Shit!? Zei ik Randall? Heeft ze hem al eens zo genoemd?

'Je hebt gelijk, ik heb twee gesprekken met hem gevoerd.'

'Dat bedoel ik. Misschien is hij alleen heel knap en heeft hij verder geen inhoud. Dan zet je je huwelijk op het spel voor een spannend avontuurtje?' Ik praat zo overtuigend dat ik in mezelf begin te geloven. Mijn maag trekt zich samen.

'Je hebt helemaal gelijk. Ran vindt "trouw zijn" de basis van ons huwelijk. Dat heeft hij me meer dan eens wijsgemaakt. Ik kan hem dit niet aandoen en tot nu toe hebben we alleen onschuldig geflirt. Dat mag toch wel een keertje na vijftien jaar huwelijk? Ik stop direct met mijn pubergedrag. Dank je wel voor je advies, Emma. Ik weet niet of ik deze week zonder jou overleefd had.'

'Geen dank, Veertje.' Shit. Ik gebruik Randalls koosnaampje voor Veronique. Dat ook nog.

Ze draait zich om en sprint naar het parcours dat speciaal voor ons is opgesteld, de laatste beproeving van deze slopende week. Ik sjok op een wat zachter tempo achter haar aan, ik moet mijn energie sparen voor wat er komen gaat.

In de eetzaal zitten we aan lange tafels uit te buiken, de spaghetti bolognese van Veronique was om je vingers bij af te likken. Randall gaat haar nooit verlaten als ze iedere dag dit soort maaltijden aan hem voorschotelt. Het is onbegrijpelijk dat ik de afgelopen maanden niet door heb gehad dat hij niet in scheiding ligt met zijn vrouw. Zelfs nadat ik die lieve berichten zag geloofde ik hem. We zijn gemiddeld drie keer in de week met elkaar uit geweest. Ik probeer de laatste maanden in mijn hoofd af te spelen, of ik iets over het hoofd heb gezien. Hij wilde inderdaad niet bij hem thuis afspreken in verband met de kinderen, iets dat op zich heel normaal is. En hij wilde ook niet bij elkaar slapen. Dat hebben we alleen in het buitenland en in hotels gedaan. We zijn samen naar Spa Zuiver geweest, waar we heerlijk hebben genoten van de sauna. Hij heeft mij nog heel hard uitgelachen omdat ik mijn bikini had aangetrokken, in Amerika is het ondenkbaar dat je naakt naar de sauna gaat. Heel even dacht ik dat ik in een seksclub terecht was gekomen. Ik grinnik als ik terugdenk hoe vriendelijk ik werd aangesproken door een medewerker dat ik niet in mijn badkleding de sauna mocht betreden. Mocht ik het onprettig vinden dan was ik meer dan welkom om op een dinsdag terug te komen want dan is het 'badkledingdag'. Het was uiterst professioneel gebracht, maar het was duidelijk dat hij dacht dat ik een boerentrien was die niet begreep hoe het precies werkte.

'Gaat alles goed, *girl*? Je bent afwezig vanavond.'

'Het gaat goed.'

'Je ziet een beetje pips, je vindt het vast jammer dat dit onze laatste avond is,' knikt Betty.

'Ja, ontzettend jammer.'

'Het is voorbij gevlogen en ik ben vijf kilo afgevallen.' Betty straalt en haar twee staarten dansen op haar hoofd. 'Hoeveel ben jij afgevallen?'

'Ik ben een kilo aangekomen, volgens Shawn heb ik spieren opgebouwd.'

'Wow, dat is gaaf, *girl*. We hebben allebei onze doelen behaald, ik ben trots op je.' Ik krijg een warm gevoel van binnen. Eén miniseconde vergeet ik hoe belazerd ik me voel want de woorden van Betty geven mij kracht om het nog even vol te houden.

'Betty, wat goed dat je zo veel bent afgevallen. Het is ook goed te zien, eigenlijk pas je je tuinbroek niet meer.' Ze staat op van haar stoel en de tuinbroek, die al oversized was, hangt als een zoutzak om haar lichaam. 'Wat zonde, hopelijk kan mijn moeder het innemen, ik heb het speciaal aangeschaft zodat ik er net zo hip uitzie als jij. Jij hebt ook zoiets. Toch?'

'Niet dat ik weet.'

'Jawel, de eerste keer dat ik je zag bij Sandra. Ik weet honderd procent zeker dat je een tuinbroek droeg.'

'O, je bedoelt mijn blauwe broekpak van zijde, met die knalroze knoopjes?'

'Ja, die bedoel ik. Geïnspireerd door jou en een modeblad heb ik dit gekocht.'

'Het lijkt me lastig voor je moeder om het in te nemen, je bent zo veel afgevallen. Zullen we binnenkort samen gaan shoppen?'

De warme blote armen van Betty vallen om me heen en ik word bedwelmd door haar penetrante geur. 'Ik hou van je, *girl*.' Heel even voel ik mij niet alleen.

Shawn klapt driftig in zijn handen om aandacht te krijgen. Mijn kont schuift naar voren over de houten zitting. Voor het eerst van mijn leven heb ik kontspieren. In de zaal weergalmt geroezemoes, ik kijk aandachtig naar Shawn. 'We hebben nog een laatste opdracht,' roept Shawn. Betty spring van mijn schoot af en begint spontaan in haar handen te klappen. 'Wat een enthousiasme, Betty.'

'Wat een mooie verrassing.' Ze springt als een kangoeroe heen en weer en ik ben bang dat haar tuinbroek van haar lichaam valt als ze zo doorgaat.

'De laatste opdracht is "de slee": jullie duwen allemaal deze slee met gewichten van de ene kant van de eetzaal naar de andere kant.' Er staat een groot metalen geval op de vloer, het ziet er niet uit als een slee, het lijkt eerder op een lage stellage. Er liggen van die ronde gewichten in die je normaal gesproken bij gewichtheffers aan de uiteinde van de stang ziet hangen.

'Mag ik als eerste?' vraagt Betty.

'Nee, ik stel voor dat Emma start. Ze is ontzettend sterk geworden afgelopen week en dat gaat ze laten zien aan jullie.'

Ik sta op uit mijn stoel en besef dat het niet handig is dat ik mijn zwarte cocktailjurkje draag met bijpassende knalrode pumps, maar ik laat me niet kennen. Ik ontdoe mij van mijn twaalf centimeter hoge Prada's en ik loop op mijn blote voeten over de ijskoude betonnen vloer. Ik buk en plaats mijn handen op het metalen handvat en zet kracht. Mijn benen verplaatsen zich en mijn spieren spannen zich aan, binnen tien seconden ben ik aan het einde van de eetzaal. Betty en Veronique rennen op mij af en omhelzen mij, ik voel de warme tranen over mijn wangen rollen.

'Knap gedaan, Emma. Het is de eerste keer dat iemand deze opdracht in een cocktailjurkje doet,' lacht Shawn. 'Ik ben trots op je.'

'Ik ben ook trots op je. Je hebt het geflikt, *girl*.'

17

'Je mag nooit meer een week op vakantie, ik was zo een-
zaam.' Randall hangt achteruit in zijn zwarte bureaustoel.
Hij heeft alleen zijn computer op het bureau staan, verder
is het leeg. 'Ik wist me geen raad.' Daar kan ik me iets bij
voorstellen. Jouw vrouw en je maîtresse waren er een week
niet, dat moet zwaar voor je geweest zijn.
'Hoe gaat het thuis?' vraag ik. Ik staar naar mijn nagels,
die zien er niet uit. Ik trek aan een haaltje en bezeer mezelf.
Hij schudt zijn hoofd. 'Daar wil ik het niet over hebben, ik
heb het liever over een ander onderwerp.'
'Over mijn promotie?' Ik doe mijn benen over elkaar en
glimlach naar hem.
'Huh? Gaan we nu weer hetzelfde gesprek voeren als twee
weken geleden in het hotel? Ik heb het toch laatst aan je
uitgelegd.' Hij staat op van zijn stoel en gaat voor het raam
staan. Ik kijk tegen het zonlicht naar zijn silhouet en knijp
mijn ogen samen. Hij moet echt iets aan zijn houding gaan
doen. Zijn schouders hangen iets te ver naar voren. Zou Veronique dat tegen hem zeggen?
'Niet hetzelfde gesprek. Je had mij beloofd dat ik een nieuwe baan zou krijgen.'
Hij draait zijn gezicht in mijn richting. Heeft hij meer
rimpels gekregen? Of komt het doordat het daglicht wreed

op hem schijnt? 'Ik wil het liever hebben over hoe en wanneer jij mij gaat nemen op mijn bureau. Dat heb jij mij beloofd.'

We horen een klop op de deur en Chris staat al binnen. 'Ik heb jouw advies nu nodig.' Chris doet alsof ik niet in de kamer zit.

'Heeft het haast?'

'Het moet vandaag opgelost worden.' Chris tikt met de punt van zijn teen op de grond en wrijft met zijn handen over zijn bovenbenen. Het ziet er heel raar uit en het doet mij denken aan een autist in een tv-serie die ik vroeger wel eens keek. Zou hij onder druk staan? Hij heeft weer rode blosjes op zijn wangen.

'Emma, kun jij zo dadelijk, als ik klaar ben met jou, Chris helpen met zijn probleem?'

'Ja, natuurlijk, geen probleem.' Ik zwaai naar hem. 'Ja, ik heb trouwens een hele leuke vakantie gehad. Wat aardig dat je ernaar vraagt.'

Chris loopt zonder mij een blik te gunnen Randalls kantoor uit. Els staat in de deuropening. 'Sorry Ran, ik wist dat niemand binnen mocht komen. Hij duwde mij opzij...'

'Maakt niet uit, pop. Ga maar weer lekker aan het werk.' De deur gaat dicht en we zijn weer met z'n tweeën.

'De boel werd beter gerund toen we even zonder manager zaten. Chris durft geen beslissingen te nemen, ik moet alles voor hem bepalen. Ik word gek van die vent.' Zijn schrille stem vult de kamer en ik heb geen sprankje medelijden met zijn probleem.

'Ik nam de beslissingen toen we even zonder manager zaten.' Nu zal hij het krijgen ook.

'Je hebt helemaal gelijk. Kun jij hem een beetje helpen en begeleiden?'

'Sorry, hier zakt mijn broek echt van af.' Ik ben trots op

mezelf dat ik hem zo durf aan te spreken. Ik voel me krachtig, misschien komt het wel door bootcamp.

'Ik vroeg me al af wanneer die broek van je uit zou gaan, dan neem ik je hier op mijn bureau.' Hij klopt met de knokkels op het gelakte hout.

'Kun je misschien twee seconden niet aan seks denken? Ik ga Chris niet begeleiden. Ik zal zo meteen het probleem van hem gaan oplossen, maar voortaan mag je het zelf doen.'

'Daar heb ik helemaal geen tijd voor. Dat weet jij ook, mevrouwtje.'

'Dat is niet mijn probleem. Je had mij die promotie moeten geven.' Ik hoor hem zuchten. 'Ik wil eigenlijk iets anders met je bespreken.'

'Eindelijk, ik zat er al op te wachten. Zullen we naar Toscanini gaan deze week? Hij kijkt op zijn computerscherm. 'Woensdagavond?'

'Daar wilde ik het met je over hebben. Het is voorbij.' Ik vraag me af of je een relatie uit kunt maken als maîtresse, maar ik weet niet hoe ik het anders moet zeggen. 'Ik maak het uit.'

'Sorry? Ben je nou nog steeds of alweer boos over die promotie? We hebben het er vorige week uitgebreid over gehad. Ik wil met je verder, Emma.' Hij woelt met een hand door zijn haar. 'En hoe zit het dan met het telefoongesprek tijdens je vakantie, je was me gek aan het maken terwijl ik reed.' Hij is kampioen geschiedvervalsing en brengt het zo overtuigend dat ik bijna in zijn leugens zou geloven.

'Ik ben niet meer verliefd op je, het staat los van die promotie.' Mijn stem trilt als ik deze woorden uitspreek. Ik weet nog steeds niet of ik over zijn vrouw wil beginnen, over zijn huwelijk.

'Ik geloof je niet. Je straft me omdat ik je geen promotie heb laten maken. Ik zal het goedmaken, dat beloof ik.' Hij staat op van zijn stoel en loopt in mijn richting. Wat is hij van plan?

'Het is voorbij, Randall. Ik heb er afgelopen week goed over na kunnen denken.'

Hij gaat door zijn knieën en het lijkt alsof hij mij ten huwelijk gaat vragen. Hij legt zijn hand op mijn been. Er gaat een rilling door mij heen en ik denk aan Veronique die het ook niet zo nauw nam met Shawn, maar ze heeft uiteindelijk niets verkeerds gedaan, alleen een beetje geflirt met de trainer. 'Alsjeblieft, Emma. Ik hou van je, ik heb mijn vrouw verlaten voor jou.' Wat kan hij weer goed liegen. Of weet hij niet meer dat hij zei dat ze al uit elkaar waren toen we voor het eerst samen waren? Ik haat het dat mijn lichaam oververhit raakt. Kan ik geen knop omzetten? Zijn handen voelen zo goed op mijn lichaam.

'Sorry, ik kan dit niet.' Ik duw zijn hand weg van mijn schoot.

'Ik geloof je niet, je bent nog steeds gek op mij. Ik begrijp niet waarom je opeens zo afstandelijk doet, ik wist echt niet hoe belangrijk die promotie voor jou was. Sorry, ik heb het helemaal verkeerd aangepakt.' Zijn stem klinkt gebroken. Ik voel mij schuldig terwijl het nergens op slaat.

Zijn lippen landen zachtjes op de mijne. Ik wil dit niet, maar duw hem niet weg. Stil hunkert mijn lichaam naar meer, maar ik hou me in. Ik denk aan het geflirt van Veronique en Shawn tijdens bootcamp. Ik voel Randalls warme hand onder mijn armen en zijn andere hand om mijn middel. Hij tilt mij moeiteloos uit mijn stoel de lucht in en zet mij op zijn bureau. Het harde hout doet pijn aan mijn billen waar geen beschermlaagje vet meer op zit, dit is niet comfortabel. 'Ik heb zin in je,' hijgt Randall. Zijn warme adem in mijn nek zorgt ervoor dat mijn onderbuik weeïg aanvoelt. Mijn benen klemmen Randalls lichaam stevig vast. Ik denk aan de grote Bambi-ogen van Veronique, hier mag ze nooit achter komen.

Dit had niet mogen gebeuren, ik schaam me diep. Veronique zal mij dit nooit vergeven. Mijn hakken weergalmen door de bekende hal naar mijn kamer. Zolang ik niet zeker weet wat de status is van hun huwelijk, ga ik niets meer met Randall doen. Als ik de deur van mijn kantoor opendoe zie ik Chris verbaast opkijken vanachter het bureau.

'Emma, kun je de volgende keer aankloppen?' Hij legt zijn leesbril op het lege bureau.

'Dit is mijn kantoor.'

'Ik ben de manager van de afdeling. Jij mag bij de rest gaan zitten in de kantoortuin.' Al mijn spullen zijn weggehaald, in de hoek van de kamer staat een kartonnen doos waar ze vermoedelijk in zitten.

'Dit kantoor heb ik vanaf dat ik bij Vertimix ben begonnen, ik ben een senior en heb recht op mijn eigen kantoor.'

'Je hebt helemaal nergens recht op.' Hij kijkt me emotieloos aan en zijn rode wangen lijken ondertussen paarsgekleurd. 'Pak je doos en ga aan het werk. De beurs is geopend dus ik begrijp niet waarom je aan het lummelen bent. Het is geen vakantie meer.' Hij kijkt naar zijn scherm en negeert mij verder compleet. Ik loop mijn oude kantoor in en til met gemak mijn doos op. Mijn spullen zijn *rücksichtslos* in een doos geflikkerd.

Dit is niet zoals ik mijn eerste dag terug op kantoor had voorgesteld: eerst beland ik op het bureau van Randall, terwijl ik mezelf had voorgenomen om het uit te maken totdat ik weet hoe het precies zit tussen Randall en Veronique. Ik was niet sterk genoeg om mijn verlangen naar hem te temperen, ik voel me een grote *loser*. En nu laat ik me uit mijn kantoor zetten door die vadsige Chris.

Mijn kartonnen doos plaats ik op een leeg bureau. Mijn collega's lijken druk aan het werk, maar ik weet dat ze vanuit hun ooghoeken mij in de gaten houden. Ze zullen zich vast afvragen waarom ik ineens verplaatst ben. Ik zet mijn computer aan en staar naar het zwarte scherm. Wanneer is alles misgegaan?

Geachte mevrouw Schelp,
Tot onze grote spijt hebben wij vernomen dat er grove fouten zijn gemaakt door ons personeel tijdens uw verblijf. Wij begrijpen dat woorden de vernedering niet weg zullen nemen.
Wij willen u op de hoogte stellen dat er passende maatregelen zijn getroffen richting betreffende medewerkers. U kunt ervan op aan dat ze u met open armen zullen ontvangen in ons hotel.
Ons focuspunt dit jaar was het verbannen van prostitutie. Wellicht zijn we daarin doorgeslagen. We hebben workshops gehouden voor alle medewerkers: 'Hoe herken je een hoer?' en 'Wat doe je bij twijfel?' Wij zouden het zeer op prijs stellen als u bij toekomstige workshops zou kunnen aansluiten om uw verhaal te vertellen. Dit om ons personeel bewust te maken wat het met onze klant doet.
U bent een goede klant van ons en dat willen wij graag zo houden. Wij bieden u tien nachten aan in onze hotelsuite. U mag hier gebruik van maken wanneer u maar wilt. Wij hopen dat u op deze manier weer vertrouwen krijgt in ons hotel. Nogmaals onze welgemeende excuses. Mocht u interesse hebben in de workshops, dan kunt u contact met mij opnemen.

Met vriendelijke groet,
Bart Veenstra
General Manager
Excelsior Amsterdam

Ik lig op de bank en heb de brief van het hotel in mijn handen. Verwachten ze nou echt dat ik aan een workshop ga meewerken? Deze kerel kan echt geen brieven schrijven, dat hij überhaupt het woord vernedering durft te gebruiken. Aan de andere kant is tien overnachtingen in een suite best leuk. Ik zou me alleen geen raad weten als ik Barry tegenkom, al zal hij me in ieder geval niet meer voor hoer uitmaken.

'Zit je weer niets te doen?' Mijn moeder staat achter me. Ze heeft haar koffer naast zich staan en ik ben blij dat ze eindelijk weggaat.

'Ja, ik ben even aan het *chillen*.' Ik leg de brief nonchalant naast me.

Ze pakt mijn brief van de bank. 'Hotel Excelsior, dat is dat hele mooie hotel waar alle sterren slapen, toch?'

Ik gris de brief uit haar hand. 'Dat is van mij.' Ik vouw de brief dubbel en neem me voor om de brief te verbranden zodra ik de tien nachten heb opgeëist.

'Gedraag je eens!' Mijn moeder praat tegen me alsof ik een klein kind ben, zo meteen stuurt ze me ook de hoek in. 'Dit is mijn huis.' Strikt genomen is het papa's huis aangezien hij de kostwinner is, denk ik.

Ik trek mijn benen in op de bank. Mocht ze me het huis uit sturen, dan heb ik in ieder geval tien overnachtingen in het hotel tegoed. 'Het is mijn brief, je mag niet zomaar iemand anders zijn post lezen.'

'Je bent nog altijd mijn dochter, ik wilde gewoon wat belangstelling tonen. Ik kan in jouw ogen niets goeds doen, je bent altijd zo kritisch tegenover mij.' Ik zou dit ook tegen haar kunnen zeggen. 'Zorg je dat je het huis ook schoonmaakt? Ik heb geen zin om de volgende keer weer alles te moeten poetsen.'

'Ik heb een schoonmaakster.'

'Zij maakt niet goed schoon, je moet zelf ook schoonmaken. Ik kan wel een schema voor je opstellen wat je iedere dag moet doen.' Is ze helemaal van de pot gerukt?

'Ik werk iedere dag, ik heb geen zeeën van tijd zoals jij.'

'Je onderschat wat ik allemaal doe.' Haar toon is weer defensief. 'Ik run zeker vier huishoudens, inclusief die van jou. Je mag mij dankbaar zijn, ik had ook best een carrière kunnen hebben, maar heb gekozen om er voor mijn kinderen te zijn. Stank voor dank.'

Vier huishoudens, laat me niet lachen. Mijn ouders hebben een huisje op Bali dat ze het hele jaar door verhuren met behulp van een professioneel bureau. Ik heb geen idee wat dan het vierde huishouden is, misschien het huis van mijn broer in Singapore. 'Ik denk dat ik meer tijd met de *nanny* heb doorgebracht dan met jou, maar dat maakt niet uit. Ik ben toch goed terechtgekomen?'

Mijn moeders blauwe ogen kijken me aan, ik kan de emotie in haar blik niet ontleden. 'Ik ga, de taxi kan ieder moment arriveren.' Ze slaat de deur hard dicht. Had ik haar moeten groeten? Ze verwacht dat ik achter haar aan ga rennen om het goed te maken, maar dat doe ik niet. Ik denk ineens weer aan Betty die zei dat ik onaardig tegen mijn moeder doe. Ik laat mijn hoofd zakken in de zachte kussens op de bank en doe mijn ogen dicht. Ik geloof dat ik van alles een puinhoop maak.

18

Ik zet mijn Fab-pilotenzonnebril op mijn neus en stap over de parkeerplaats naar de ingang van het hotel. Waarom heeft James van alle hotels in Amsterdam juist dit hotel gekozen? Ik ben een uur bezig geweest om een passende outfit voor onze eerste date in Amsterdam uit te zoeken. Het is een kort jurkje geworden met mijn bruine pumps en ik heb mijn nieuwe wollen mantel over mij heen gedrapeerd. Lastig, wel: verleidelijk zijn voor je eerste date, maar zeker niet te hoerig.

'Mevrouw?' hoor ik als ik de lobby binnenwandel. Ik kijk achterom en zie de portier in zijn apenpakje. Ik krimp in elkaar en loop stug door. 'Wacht even, alstublieft.' Hij staat al voor mijn neus want ik loop als een slak op die te hoge pumps.

'Ja, wat is er?'

'Wat fijn dat u terug bent gekomen. Ik heb de opdracht gekregen om u naar de general manager te brengen.' Hij lijkt helemaal vergeten te zijn dat hij mij ooit vroeg hoeveel ik per uur kost, schaamteloos is deze brutale aap.

'Het komt me niet uit, ik heb een afspraak.' Ik kijk op mijn horloge en zie dat ik vijftien minuten te vroeg ben, dat is niet echt *fashionable late*.

'Alstublieft?' smeekt hij.

Ik haal mijn schouders op en zet mijn zonnebril af. 'Oké,' zeg ik na nog even te twijfelen.

'Wat fijn!' Ik loop achter de portier aan. Achter de marmeren hotelbalie is zijn kamer verstopt. Hij klopt op de deur en loopt naar binnen. 'Hier is mevrouw Schelp.'

'Had ik een afspraak?' De hotelmanager zit achter zijn bureau en hij zet zijn leesbril af en staat op.

'Dit is mevrouw Schelp, ik moest haar naar uw kantoor brengen als ik haar zou zien. Je weet wel.' Hij kijkt betekenisvol naar de manager zodat hij niet het woord 'hoer' of 'escort' hoeft uit te spreken.

'O, wat goed. Natuurlijk! Neemt u plaats, zal ik uw jas aannemen?' Ik doe mijn mantel af en besef dat mijn jurkje wel heel kort is en helemaal niet de juiste outfit is als je wilt bewijzen dat je geen hoer bent. Maar ik hou mezelf bij die gedachte ook meteen tegen – het maakt helemaal niet uit wat ik aan heb. Een vrouw zou niet op basis van kleding dit soort angsten moeten hebben. Zij zijn fout geweest, ik niet. Er staat een stoel die me doet denken aan een troon; hij heeft een hoge rugleuning en hij is omlijst met een gouden randje. Ik neem plaats en houd mijn benen strak tegen elkaar aan omdat ik voel dat mijn jurkje omhoog probeert te kruipen. Ok, vooroordelen zijn een issue. Maar handig is dit ook niet.

'Ja, dank u wel. U wilde mij spreken? Ik heb namelijk zo een afspraak.' Ik kijk op mijn horloge en merk op dat ik nog steeds te vroeg ben.

'Ik zal het kort houden. Ten eerste ben ik heel blij dat u hier bent, u heeft blijkbaar het vertrouwen in ons niet opgegeven.' Hij moest eens weten, ik kon moeilijk tegen James zeggen dat ik niet in het Excelsior wilde afspreken. 'Zou u mee willen werken aan de workshops voor onze medewerkers?' De manager heeft een grijs driedelig pak aan, iets wat ik zelden zie. Het valt ruim om zijn smalle lichaam, dit zit niet zo mooi als de op het lijf gemeten pakken van Randall.

'Nee.' Alsof ik niets beters te doen heb dan workshops geven aan personeel aan wie ik mijn meest gênante verhaal *ever* ga vertellen. Op zijn bureau pronkt een keurige familiefoto met drie kinderen en vermoedelijk zijn vrouw. Ze hebben allemaal dezelfde rode kersttrui aan met een rendier erop, ik probeer mijn gezicht in de plooi te houden.

'O. Wat ontzettend jammer. Ik zou graag eens een *live case* willen bespreken met mijn personeel, ik kan me voorstellen dat het pijnlijk voor u is.'

'Ja, het is inderdaad gênant en ik wil er liever nooit meer aan herinnerd worden. Ik zou het op prijs stellen indien u het er niet meer over zou hebben.'

'Dat is begrijpelijk. U kunt altijd gebruikmaken van die tien nachten die we u hebben aangeboden ter compensatie van deze toestand.' Hij schuift heen en weer in zijn stoel, het lijkt alsof hij het moeilijk vindt om dit gesprek met mij te voeren.

'Ja, dank u wel.' Het voelt niet goed om deze lui te bedanken, maar wat moet ik anders zeggen.

'Kan ik nog iets anders voor u betekenen?'

'Nee, ik moet ervandoor want anders zit James Olivier op me te wachten.' Ik sta op en pak mijn mantel van de goud glanzende kapstok waar verder niets overheen hangt.

'U hebt een afspraak met James Olivier die hier in het hotel verblijft?' vraagt hij voorzichtig.

'Inderdaad, ja.' Ik sla mijn mantel om me heen, opgelucht dat ik iets om me heen kan slaan. De volgende keer dat ik naar dit hotel ga trek ik een degelijke outfit aan, misschien kan ik het tuinpak van Betty lenen.

'James Olivier?' vraagt hij nogmaals.

'Ja, ik heb met hem afgesproken, ik heb zijn kamernummer dus ik vind het wel.' Ik zwaai de manager gedag.

'Ik loop wel even met u mee.' Hij staat op vanachter zijn bureau en struikelt half over het Perzische tapijt, maar staat binnen no-time weer rechtop.

'Dat hoeft niet, hoor.'

'Het is niet de bedoeling dat onze beroemde gasten gestoord worden zonder dat daar hotelpersoneel bij aanwezig is.' Zijn ademhaling is heel snel en hij lijkt buiten adem te zijn, terwijl hij nog geen drie meter heeft gelopen. Het zou niet verkeerd voor hem zijn om ook eens op bootcamp te gaan.

'Ik stoor hem niet want ik heb een afspraak met James.'

'U kent James persoonlijk?' De stem van de manager spreekt ineens een octaaf hoger.

'Ja, ik ken hem.'

'Mevrouw Schelp, u moet begrijpen dat wij in ons hotel onze beroemde gasten moeten beschermen tegen zijn enthousiaste fans.' Hij gaat met zijn hand door de paar plukken haar die zijn kale hoofd proberen te verhullen, één plukje blijft overeind staan. De liftdeuren gaan open en ik druk op de derde verdieping, de manager springt achter mij aan de lift in.

'Uw hotel maakt mij eerst uit voor hoer en nu behandelt u mij als een soort stalker?' Het bloed stijgt naar mijn hoofd en ik bal mijn vuist. Het liefste zou ik deze meneer een lel verkopen, zoals Betty dat zou zeggen. In de lift zou niemand het kunnen zien. Zo snel als ik kan loop ik over het hoogpolige tapijt als we met de lift op de derde verdieping zijn aangekomen. De manager blijft achter mij aan lopen alsof ik honing aan mijn kont heb zitten.

'U ziet het verkeerd.' We staan ondertussen voor de kamer

van James, de opdringerige manager klopt aan en James doet binnen drie tellen open.

'Hi.' James kijkt naar de manager en ik voel mijn wangen kleuren. Hij heeft een ongeschoren stoppelbaardje en zijn sixpack is het eerste waar mijn ogen naartoe gezogen worden. Zijn spijkerbroek hangt losjes op zijn heupen. 'Sorry, ik was nog niet aangekleed.'

'Er is bezoek voor u: mevrouw Schelp,' zegt de manager formeel. Met een klap gaat de hoteldeur dicht en ik staar verbaasd naar de dichte deur. De manager kijkt mij zelfingenomen aan: 'Het lijkt mij duidelijk dat hij geen afspraak met u heeft.' Ik vrees dat ik zo meteen weer onterecht het hotel word uitgezet.

'We zijn oude vrienden, ik ken James heel goed.' Ik baal van mijn zeikerige stem, alsof ik mijn innerlijke kleuter ook heb gevonden.

'Blijkbaar kent hij u niet.' Hij slaat zijn armen over elkaar heen en zijn slobberige pak lijkt steeds meer op een hobbezak.

Ik klop nogmaals op zijn deur en de manager houdt mijn arm tegen met zijn handen, hij heeft duidelijk minder kracht dan Barry. James trekt de deur open. 'Ik ben nu aangekleed, Emma. Sorry!' Hij tilt mij van de vloer en ik voel de warmte van zijn lichaam door mijn kleding heen branden. 'Ik heb je gemist.' De hand van de manager glijdt los van mijn bovenarm als James mij als een veertje over de deurdrempel mee zijn kamer in voert.

'O sorry.' Hoor ik de manager zeggen.

James zet me weer op de grond en kijkt naar de manager die nog op de gang staat en zich duidelijk geen houding weet. De grijze pluk op zijn hoofd wijst nog steeds naar het hoge plafond. 'Heeft u iets van mij nodig?' vraagt James.

'Euh. Nee, sorry. Nogmaals mijn excuses, mevrouw Schelp.'

Hij buigt naar mij als een Japanse onderdaan en trekt de deur achter zich dicht.

'Wat heb je met die gast gedaan? Hij lijkt bang voor je te zijn.'

'Niets bijzonders.' James is hetzelfde, maar toch anders. Hij lijkt langer geworden en die blokjesbuik had hij tien jaar geleden zeker niet. Mijn handen zouden graag eventjes op expeditie James Olivier willen gaan.

'Je bent net zo mooi als vroeger. Nee, je bent nog mooier.' Zijn groene ogen kijken dwars door mij heen.

Dankzij mijn tien centimeter hoge pumps kan ik amper op mijn benen staan. 'Dank je wel, jij ook.' Zeg ik dit echt? Er is geen weg terug.

'We moeten zo weg.' Hij gaat met zijn hand langs mijn middel. Ik ben blij dat we weggaan want in een hotelkamer met James is vragen om problemen, ik denk aan onze nacht op het strand in Bali en er gaat een warme sensatie door mijn lichaam.

'Waar gaan we heen?' vraag ik. Ik bewonder zijn suite, deze kamer lijkt niet op te houden. Het lijkt groter te zijn dan mijn appartement van honderdvijftig vierkante meter... En het is groter dan de kamers die ik al ken in het Excelsior.

'Dat is een verrassing, ik weet zeker dat je het leuk vindt. Doe alsof je thuis bent, we vertrekken over vijf minuten, oké?'

De auto stopt en de chauffeur doet het portier open en helpt me uitstappen. Hier kan ik best aan wennen. 'We gaan bowlen,' zegt James enthousiast. 'Dat vind jij toch leuk?'

Hij kijkt mij aan en ik voel mijn benen weer week worden. Hoe kon ik hem ooit verlaten?

'Ja, leuk.' Ik hoop dat ik enthousiast overkom. Dit had ik

niet verwacht. Niet echt iets voor een eerste ontmoeting na tien jaar. Ik loop twijfelachtig achter James aan naar binnen.

'Kom je mee?' Als hij mij bij de hand neemt, gaat er een elektrische schok door me heen, alleen door deze aanraking. We lopen direct naar de kast waar we bowlingschoenen kunnen uitzoeken. Ik vind bowlen best leuk, maar die schoenen zijn te ranzig. Het idee dat daar zo veel verschillende voeten in hebben gezeten. Niet aan denken, commandeer ik mezelf.

Ik zie een medewerker lopen. 'Heeft u misschien extra sokken?'

De voluptueuze dame neemt mij rustig op en blijft met haar ogen hangen bij mijn pumps. 'Niet echt handige schoenen om aan te trekken als je gaat bowlen,' merkt ze op.

'Het was een verrassing. Als ik het van tevoren had geweten had ik wel sokken meegenomen,' leg ik uit.

'We hebben geen extra sokken, ik heb net de laatste weggegeven. Je hebt panty's aan, sokken heb je niet nodig,' zegt ze met een zwaar Amsterdams accent. Ze kijkt me uitdagend aan. In New York zou personeel nooit op een beschuldigende toon tegen een klant praten, tenzij er een diepe wens is om ontslagen te worden. Het zou wel wat servicegerichter mogen hier in Amsterdam.

'O. Jammer,' reageer ik. Er is één paar schoenen in mijn maat. Ik houd de schoenen vast, ga zitten op een krukje en schuif mijn linkervoet in de warme en klamme bowlingschoen. De schoenen zijn duidelijk net door iemand gebruikt die zweetvoeten heeft en ik word spontaan misselijk van de tenenkaaslucht die als een wolkje uit de schoenen zijn weg naar mijn neus vindt.

'Wat vind je van mijn schoenen?' James staat voor mijn neus en ik ben blij met de afleiding.

'Ze staan je geweldig.' Ik klap in mijn handen. Ik lijk Betty wel.

'De rest is er al.'

'De rest?' vraag ik.

'Ja, we hebben met vrienden afgesproken. Dat had ik toch gezegd?'

'O, ik dacht dat we een date hadden.' Zei ik dit hardop? Shit. Ik kijk naar mijn gore dampende bowlingschoenen, mijn voeten voelen vochtig aan.

'Echt?' Hij gaat door zijn knieën en aait met zijn handen over mijn hoofd alsof ik een klein meisje ben. 'Ik dacht dat we elkaar gewoon gezellig gingen ontmoeten. Ik heb allemaal vrienden uitgenodigd, maar je zit in mijn bowlingteam, oké?'

Ik voel me een dom gansje. James staat op en ik volg hem, ik moet er als een idioot uitzien met mijn korte cocktailjurkje en twee ranzige bowlingschoenen eronder.

James kijkt geamuseerd. 'Zullen we gaan bowlen?'

Als we de bowlingbaan op lopen wordt James van alle kanten belaagd door jonge meiden die met hem een *selfie* willen maken, hij trekt gekke bekken. Als dit de hele avond zo doorgaat komt hij niet aan bowlen toe.

'Irritant dat we op James moeten wachten, wat een uitslover is die gast.' Dit is de eerste 'vriend van James' die tegen mij praat. Ik begin me na een paar minuten als een soort paria te voelen. Ik hang een beetje naast de groep, maar wacht nog om echt goed aan iedereen voorgesteld te worden.

'Ach, het is vriendelijk van hem,' verdedig ik.

'Zo zou je het ook kunnen noemen, vooral als ze vanavond allemaal bij hem in bed kruipen,' grapt hij. Zijn haar is lichtelijk in de war en hij heeft een groot glas bier in zijn handen geklemd. Het is een aantrekkelijke man, maar zeker vijftien jaar te oud naar mijn smaak. Hij heeft een leren bruine armband om zijn pols geknoopt en zijn shirt heeft een diepe V-hals waardoor je zijn bescheiden borsthaar kunt bewonderen. 'Volgens mij heb ik je niet eerder gezien. Met wie ben je mee gekomen?'

'Met James.' Ik kijk naar James, die atletisch de baan over rent met een bowlingbal en een strike gooit. De jonge meiden klappen enthousiast in hun handen en hij geeft hen stuk voor stuk een high five.

'Ben je vanavond op een date?' Zijn ogen glijden keurend over mij en mijn cocktailjurkje.

'Daar zijn de meningen over verdeeld,' zeg ik diplomatiek.

Hij slaat zijn hand op zijn bovenbeen en buldert het uit van het lachen. 'James neemt je mee bowlen met zijn vrienden voor een date, wat een *loser*.' Bij het woord *loser* krimpt mijn buik ineen en ik lach schaapachtig naar deze uitgesproken man.

'Ik dacht dat we een date hadden, maar blijkbaar had ik het verkeerd begrepen.' Ik kruis mijn benen over elkaar heen en neem een slokje van mijn wodka-jus.

'Is dit serieus? Of probeer je mij te *fucken*?'

Het woord '*fucken*': ik kan er maar niet aan wennen dat het hier in Nederland te pas en te onpas gebruikt wordt. 'Waarom zou ik? Het is uiterst gênant om dit te vertellen. Wil je het alsjeblieft voor je houden?'

'Hey gast, je bent aan de beurt om te gooien,' zegt James. Mijn buurman staat op en sjokt naar de bowlingbaan. James gaat naast mij zitten. Hij pakt mijn hand vast en er gaat een rilling door mij heen, het bloed raast door mijn aderen. 'Je kunt hem niet vertrouwen, je hebt toch niet iets persoonlijks tegen hem gezegd?'

'Hoezo?' vraag ik.

'Weet je niet wie hij is?'

'Nee.'

'Je moet je meer gaan verdiepen in Nederland, meisje. Dit is de bekendste radio-dj van Nederland en hij wil niets liever dan leuke roddels van bekende sterren rondbazuinen.'

'O,' weet ik uit te brengen. Mijn naam doemt op het computerscherm en ik laat de sterke hand van James los en sta op. Ik voel me geen dom gansje meer, ik ben een domme koe.

19

'Wat fijn dat je dit voor ons hebt geregeld, Veronique. Privé bootcamp in het Vondelpark met onze Shawn,' roept Betty uit. We drinken wijn bij Ter Brugge om bij te komen van de zware training. We zitten binnen aan een tafeltje met uitzicht op het einde van de Overtoom, één van de grootste verkeersaders in Amsterdam-centrum. Bijna alle tafeltjes zijn bezet en vanuit de boxen klinkt een pingelmuziekje dat me doet denken aan de zomer.

'En dan te bedenken dat Emma niet mee wilde doen.' Betty heeft mij over moeten halen, de gedachte iedere maandag Veronique te moeten ontmoeten leek mij arelaxt.

'Ik ben blij dat je meedoet, Emma. Het was een raar idee geweest om elkaar na onze vakantie nooit meer te zien. Is je moeder weer terug naar Parijs?' Veronique draait met haar slanke vingers aan haar trouwring. Het is een traditionele gouden band met een klein diamantje dat schittert. Zou ze die samen met Randall uitgezocht hebben?

'Ja, gelukkig wel. Ik werd gek van dat mens.'

'Ik vind dat niet leuk, Emma. Je hebt een schat van een moeder. Mag ik jullie aandacht?' vraagt Betty. Ze houdt haar hand in de lucht.

'Moeten we iets zien?' vraag ik. Ik bekijk aandachtig haar

hand, ze heeft in ieder geval geen manicure gehad. Haar nagels zijn niet gelakt en er zit een donker randje onder.

'Ja, mijn verlovingsring!'

Veronique klapt in haar handen van plezier, springt op van haar stoel en knuffelt Betty. Ik kan het niet helpen om even te denken aan die arme Matthieu. Het heeft me genoeg moeite gekost om het donkere café binnen te strompelen, ik blijf op mijn stoel zitten omdat mijn benen niet meer naar mij willen luisteren. Het is me een raadsel waarom ik opnieuw naar deze bootcampsessie ben gekomen.

'Wat fantastisch, Betty,' reageer ik. Ik hoop dat mijn stem enthousiast genoeg klinkt.

'Goed hè?'

'Ik kan me nog zo goed herinneren dat Randall mij ten huwelijk vroeg. We waren samen op reis in Nieuw-Zeeland en we gingen bungeejumpen...'

'Hee, hallo. Ik ga trouwen! Die verhalen uit de oude doos kunnen ook een ander keertje.'

Ergens wil ik het verhaal van Veronique horen, maar ook weer niet.

'Ja, sorry Betty, je hebt groot gelijk. Dit is jouw moment. Vertel...?' Er is geen sprankje sarcasme of ergernis in haar stem te bespeuren.

'Ik vertelde dat Michiel verliefd op me is. Hij werd extreem jaloers en vroeg mij daarom ten huwelijk.' Van alle huwelijksaanzoeken die ik tot nu toe heb gehoord, zal deze mij bijblijven. Geen bloemblaadjes, verrassingen, flessen champagne. Ergens past het bij Betty.

'Jeetje,' zeg ik. Veronique draait weer aan haar trouwring om haar vingers, ze lijkt diep in gedachten.

'Ik wil al zo lang trouwen. Als ik had geweten dat jaloezie hem over de streep zou trekken, dan had ik dat veel eerder gedaan.' Ze praat zo hard dat mensen aan andere tafeltjes kunnen meeluisteren. Ik kijk gegeneerd om me heen want we worden inderdaad aangegaapt.

'Ik ga trouwen, joepie.' Kan ze haar volume niet een beetje dempen?

'Onze bruiloft was inderdaad één van de mooiste dagen van mijn leven,' zwijmelt Veronique. Ze staart voor zich uit en ik vind het irritant. Ik kan het niet helpen dat ik Veronique in een smetteloze trouwjurk zie met Randall aan haar zijde, hij heeft liefdevol zijn arm om haar heen geslagen. Er ontstaat maagzuur dat omhoog kruipt, ik neem snel een slokje van mijn witte wijn en ik voel de alcohol branden in mijn keel. Dit maakt mij misselijker dan dat ik al was, dat laatste sprintje had ik beter kunnen laten.

'Het was de allermooiste dag van je leven,' reageert Betty stellig.

'Nee, dat waren de geboortes van onze kinderen.'

Betty schudt hevig haar hoofd. 'Dat was niet zo mooi.'

'Hoe weet jij dat?' vraagt Veronique oprecht verbaasd.

'Zo'n bevalling lijkt me pijnlijk.' Ze wijst met haar vinger richting haar *downunder*. 'Is het ooit goed gekomen daar beneden? Ik denk niet dat ik kinderen wil, of ze doen gewoon een keizersnede.'

'Ach, dat valt allemaal best mee. Je bent de pijn vergeten zodra je de kleine op je buik voelt landen. Het komt ook allemaal weer goed, dus daarom moet je het niet laten.' Weer zie ik Randall die vol bewondering naar zijn vrouw kijkt die met een grote lach op haar gezicht zijn baby baart. Geen bloed, geen pijn, het was een klein pufje en de baby landde op haar strakke buik. Want Veroniques lichaam was twee seconden na de bevalling weer omgetoverd in het strakke lichaam van voor haar zwangerschap, geen uitgelubberd lijf.

'Ik ga trouwen,' herhaalt Betty. Nu weten we het ondertussen wel.

'Hoe gaat het met je baas?' vraagt Veronique. Ik nam net een slokje van mijn witte wijn en proest het uit. Waarschijnlijk zocht ze naar een ander onderwerp.

'O ja, dat wil ik ook weten. Emma die hokt met haar getrouwde baas. Hebben jullie het al in zijn kantoor gedaan?' Ik zet mijn wijnglas met een trillende hand voorzichtig op het tafeltje, de wijn deinst alle kanten uit. 'Sst. Niet zo hard praten, Betty.' Het stelletje naast ons lijkt meer geïnteresseerd in ons gesprek dan in elkaar.

'Stel je niet zo aan en geef antwoord. Ik zie aan de kleur in je gezicht dat je hem genaaid hebt in zijn kantoor,' roept ze uit. 'Vuile slet.'

'Is hij getrouwd?' vraagt Veronique nieuwsgierig. Shit. Dat wist ze natuurlijk niet.

'Hij ligt in scheiding, zijn vrouw is vreemdgegaan met de buurman.' Ik weet natuurlijk ondertussen dat het een leugen is, maar wat moet ik anders zeggen?

'Jeetje, ik heb je ontzettend goed advies gegeven om met hem door te zetten. Dus die sms'jes die je in zijn telefoon zag had je verkeerd begrepen?'

'Sms'jes?' Ik kijk Betty vragend aan.

'Je had toch in zijn telefoon zitten snuffelen die nacht in het hotel?' Ik had niet verwacht dat Betty zo goed luisterde naar mijn verhalen, laat staan dat ze iets onthoudt.

'Ik had heel even snel in zijn telefoon gekeken en er kwam toevallig net een berichtje binnen,' leg ik uit.

'Je hoeft Emma niet op haar donder te geven, hoor. Dat heb ik al gedaan, in iemands telefoon sms'jes bekijken is onvergeeflijk.' Veronique knikt instemmend. Ik had niet naar bootcamp moeten komen vandaag, het wordt allemaal veel te ingewikkeld.

'Ik ben op date geweest met James,' verander ik van onderwerp.

'Wat?' gilt Betty. Ze springt vanuit haar stoel omhoog en klapt in haar handen.

'Eigenlijk was het niet echt een date.'

'Huh? Ik snap het niet meer.' Betty gaat op haar stoel zitten.

'Ik dacht dat je verliefd was op je baas? Waarom ga je dan met iemand anders op date?' Veronique kijkt me vragend aan.

'Ik weet het allemaal niet meer, het is allemaal erg ingewikkeld. Ik weet niet of ik verliefd ben. En het was erg gezellig met James maar hij wordt natuurlijk van alle kanten versierd. Ik vraag me af of hij mij als oude vriendin ziet, of misschien meer. Maar genoeg over mij.'

'Het is niet saai wat je allemaal meemaakt,' lacht Veronique. 'Even iets anders: ik heb jullie advies nodig.' De stem van Veronique heeft een serieuze toon, ik hoop vurig dat ze geen advies gaat vragen over Randall.

'Natuurlijk, ik ben heel goed in advies geven. Emma heeft haar toekomstige relatie aan mij te danken. Mijn advies is goud waard, het is alleen de vraag wie die toekomstige man gaat worden. Haar baas of die wereldberoemde zanger, ik zou het wel weten...' Betty's haar springt heen en weer in de lucht omdat ze op haar stoel wipt.

'Ik heb iets in de kamer van mijn dochter gevonden en ik ben bang dat ze seks heeft gehad.' Ze houdt een pakketje in haar handen en ik kan wel door de grond zakken. Dit is het seksspeeltje dat ik in Randalls tas had gestopt. Ik probeer te bedenken of ik 'Emma' op de post-it had gezet, ik weet voor bijna honderd procent zeker dat ik alleen een 'E' heb neergezet. 'Uiteraard ben ik geschrokken dat mijn dochter seks heeft gehad zonder dat ik het doorhad, maar dat de jeugd allerlei attributen moet gebruiken. Ik begrijp er niets van.' Veroniques onderlip trilt een beetje.

'Laat me dat eens bekijken?' vraagt Betty. 'Dat is grappig! Emma, deze hebben we gekocht van Sandra. Emma en ik hebben ook precies zo'n speeltje thuis,' gilt ze. De halve kroeg denkt nu dat we een stelletje zijn dat met seksspeeltjes speelt. *Nice*, Betty.

'Ik ben ontzettend ouderwets, het is wel duidelijk dat ik minstens tien jaar ouder ben dan jullie. Maar het idee dat mijn lieve onschuldige dochtertje dit gebruikt...' Ze wrijft met haar vingers over haar voorhoofd. 'Het is gewoon heftig.'

'Het zit nog in de plastic verpakking, het is nog niet gebruikt. Je hebt nog tijd om met je dochter een gesprek te voeren over seks en het is een mooie aanleiding. Het is geen gemakkelijk onderwerp om aan te snijden op die leeftijd.' Betty praat eindelijk als een volwassen vrouw. 'Als ik jou was zou ik met dat speeltje je man verrassen. Heb je wat uitleg nodig?' En daar is oude vertrouwde Betty weer.

Mijn telefoon trilt en ik kijk op mijn scherm. Een sms'je van Randall. Ik pak mijn telefoon op zodat Veronique en Betty het niet kunnen zien. Ik heb zijn naam veranderd in 'Getrouwd!'.

'Love you, baby... X Randall PS Ik heb zin in je.'

Veronique kijkt ook op haar telefoon en glimlacht. Ze tikt duidelijk iets in haar telefoon in. 'Heb je een leuk sms'je gekregen?' Betty leunt over de tafel om mee te lezen. Dat mag blijkbaar wel volgens haar normen en waarden over gluren in andermans telefoon. 'Wat heeft hij gestuurd?'

Veroniques ogen knipperen snel, ik ben jaloers op haar gekrulde wimpers. Ze houdt haar telefoon in de lucht zodat we zijn sms kunnen lezen:

'Love you, baby... X Randall PS Ik heb zin in je.'

Hij neemt alweer niet de moeite om iets anders voor mij te schrijven? Ik ga niet reageren op zijn sms en probeer mijn woede te onderdrukken. Ik denk aan ons 'bureaumomentje' van vorige week. Ik druk mijn benen tegen elkaar aan. De knoop die ik sinds dat moment in mijn buik heb lijkt steeds groter te groeien. 'Wat een passie tussen jullie, na al die jaren. Dat wil ik ook met mijn Matthieu, als ik jou was zou ik dat speeltje direct inwijden als je thuiskomt.'

'Dag dames, waar hebben jullie het over?' Shawn schuift een stoel bij en gaat tussen mij en Veronique zitten.

'Wij hebben het over het seksleven van Veronique en haar man. Die lusten er nog pap van na al die jaren. Had je al gehoord dat ik ga trouwen?'

'Gefeliciteerd, wat ontzettend leuk voor je.'

Veronique staart naar de grond.

'Wij zijn Veronique aan het overhalen om haar man te verrassen met dit seksspeeltje.' Ze houdt het pakketje in de lucht. 'Daar houden mannen toch van?' Zelfs zonder spanning tussen Veronique en Shawn zou dit een ongemakkelijke situatie zijn.

'Geef dat terug,' zegt Veronique monotoon en ze werpt het pakketje in haar Louis Vuitton-tas. 'Ik moet naar huis. Zie ik jullie volgende week?'

'Je kunt zeker niet wachten. Veel plezier, *girl*.' Betty buldert van het lachen.

'Ik ga er ook vandoor.' Voordat wij iets kunnen zeggen zien we Shawn achter Veronique aan joggen.

'Hij blijft een heerlijke vent.' Betty's mond staat wagenwijd open. 'Hij loopt achter Veronique aan. Zou hij haar leuk vinden?'

'Nee, ze moeten gewoon dezelfde kant uit. Ik kreeg gisteren een berichtje van Sandra, ze heeft het naar haar zin.'

'Nou, ja. Ik heb niets van haar gehoord.' Ze zet haar piepstem op. 'Waarom stuurt ze mij geen berichtje?'

'Ik had haar een mailtje gestuurd om te vragen hoe het met haar ging.'

'Ze had ook best een berichtje naar mij kunnen sturen. Ik vind het niet aardig van haar, vooral omdat ik ga trouwen.' Ze legt haar hand op het bruine tafeltje en wrijft met haar wijsvinger over haar zilveren verlovingsring.

'Ze weet niet dat je gaat trouwen,' reageer ik.

'Daar gaat het niet om, je begrijpt het niet.'

Ik begrijp het inderdaad niet. '*Whatever.*'

'Je hoeft niet onaardig te doen. Jij wordt niet genegeerd door je beste vriendin.'

'Zullen we bij mij thuis nog een kopje thee drinken?' Nee, waarom vraag ik dit? Ze is niet zielig.

'Ja, graag. Fijn dat jij nu mijn beste vriendin bent, ik hou van je, *girl.*'

20

'*Mijn bureau heeft jou heel hard nodig.*'
Hoe moet ik die chatfunctie uitzetten? Ik vind het irritant dat er steeds van die berichtjes op mijn beeldscherm verschijnen. Ik kijk achter me. Niemand. '*Sorry, ben druk.*' Chat ik snel terug. Ik moet tegen hem zeggen dat ik dit niet wil.
'*Ik heb een gaatje in mijn agenda. Please, wil je komen? Ik wil namelijk dat je lekker komt ;-)*'
'*Ik heb nu geen gaatje. Het komt me niet uit.*' Dat hij hetzelfde sms'je stuurde naar Veronique zit me nog steeds dwars. Hij neemt niet de moeite om speciaal een sms naar mij te sturen. Daarnaast wil ik niet 'die andere vrouw' zijn. Veronique is sinds bootcamp een vriendin van me geworden, ik heb haar vertrouwen beschaamd doordat ik mij heb laten verleiden om seks met Randall te hebben. Terwijl ik wist dat ze met hem getrouwd is en niet in scheiding ligt.
Mijn telefoon gaat af en ik zie in het scherm Veroniques naam. Kunnen die twee mij niet met rust laten? Ik druk het geluid uit en negeer haar oproep. Twee seconden later gaat mijn telefoon weer af en ik snel me naar de telefooncel om de telefoon op te nemen. 'Hallo?' Ik hoor niets. Zou het een *buttcall* zijn?

'Hi, sorrryyyyy,' snikt Veronique. 'Ik wil je niet ssstoren op je werk.'

'Wat is er aan de hand?'

'Dat seksspeeltje is niet van mijn dochter,' hikt ze.

'Dat is goed nieuws. Dat betekent dat ze waarschijnlijk nog geen seks heeft gehad. Wat een opluchting.' Zou ze het briefje gevonden hebben? Zou ze mijn naam gelezen hebben. Ik hou mijn adem in.

'Nee, het is geen goed nieuws, het seksspeeltje is van Randall.' Dat is beter nieuws dan dat je dochter van vijftien aan de haal is met seksspeeltjes, ze zou opgelucht moeten zijn.

'O,' weet ik uit te brengen.

'Er zat ook een post-it bij, Roos had het bewaard omdat ze bang is dat we gaan scheiden.' Ik breek mijn hersenen over wat er op het briefje staat en ik weet niet meer of ik 'Em' of 'E' had opgeschreven. Gelukkig kan Veronique mij niet zien, want ik voel mijn wangen rood gloeien.

'Jeetje, wat staat daar op?' Ik tik met mijn nagels tegen de ruit van de telefooncel en ik kijk naar buiten en sta oog in oog met Randall. Hij wenkt me het telefoongesprek af te ronden, door met zijn hand een T te vormen. Shit. Zo meteen herkent Veronique zijn stem.

'Veronique, ik heb nu een afspraak met mijn baas. Ik moet even zeggen dat ik wat later kom, momentje.' Ik zet de functie 'geluid uit' aan en doe de telefooncel open. Er verspreid zich direct zuurstof in het hokje dat door mijn lichaamstemperatuur als een sauna aanvoelt.

'Hi lieverd.' Randall stapt de telefooncel in. 'Zullen we het hier gezellig maken? Nog veel spannender dan op mijn kamer.' Ik krijg het Spaans benauwd en ik hoop dat Veronique niets hoort en dat mijn collega's ons niet zien. Mijn mond voelt ineens droog en ik klem met mijn hand mijn telefoon strakker vast en hoop dat ik daarbij niet per ongeluk 'geluid aan' aanklik. Mijn lichaam luistert niet naar mijn hersenen. Ik hou mijn telefoon in de lucht en zie dat mijn arm lichtjes trilt. 'Ik ben aan het bellen, dit moet ik even afronden. Daarna kom ik direct naar je toe, oké?' Ik moet weten wat er op dat briefje staat en ik moet mijn geheugen laten checken bij een dokter. Ik zet het op mijn to-do-lijst in mijn hoofd.

'Ja, is goed. Ik zal daar op je wachten. Je ziet er opgewonden uit, hou dat gevoel vast.' Hij loopt de telefooncel uit en hij kust de ruit. Ik word onpasselijk.

'Sorry, ik moest even uitleggen dat ik wat later op de afspraak kom.'

'Zal ik anders ophangen? Ik bel je vanavond wel eventjes.' Veronique lijkt meer tot rust gekomen.

'Wat staat er op dat briefje?'

'Een heel stom tekstje: "Zullen we dit samen uitproberen?" Wat een bitch, mijn man verleiden met seksspeeltjes. Ze is vast een lelijk mokkel,' spuwt Veronique.

'Misschien is ze een stalker? Het hoeft niet direct te betekenen dat hij vreemdgaat. Het seksspeeltje was ongebruikt.' Ik pulk aan mijn nagels.

'Je hebt gelijk.' Veronique heeft zichzelf weer herpakt, ze is niet een type dat snel emotioneel wordt. 'Toch zit het me niet lekker.'

'Dat begrijp ik, maar misschien heeft Randall zelf het seksspeeltje niet eens gezien.' Dat weet ik bijna zeker, want anders was hij er zeker mee op de proppen gekomen.

'Dat zou kunnen. Zou je met mij mee willen gaan om hem te bespioneren? Ik wil zeker weten dat het niet waar is.'

'Nee, joh,' roep ik uit.

'Waarom niet?' Haar stem klinkt hoger dan normaal, alsof ze verrast is.

'Hij gaat niet vreemd bedoel ik. Je hoeft hem niet te bespioneren.'

'Het zou mij rust geven als ik het zeker weet, hij is vaak laat thuis. Ik moet het weten.' Ik bedenk dat het juist handig is als ik met haar meega. Mocht ze in haar eentje hier buiten gaan staan, dan is de kans groot dat ze mij uit het kantoor ziet komen.

'Oké, ik ga met je spioneren.' Ik schud mijn hoofd, wat een toestand. Mijn hart klopt in mijn keel, ik moet moeite doen om me te concentreren op het telefoongesprek.

'Echt? Dank je wel, je bent een schat. We moeten wel met jouw auto gaan want mijn auto herkent hij direct.' Ik kan onmogelijk zeggen dat hij mijn auto waarschijnlijk ook herkent.

'Ja, ik moet nu echt weer verder.'

'Ik waardeer jouw vriendschap enorm. Dit zou ik nooit kunnen delen met mijn andere vriendinnen. Dank je wel, Emma.'

Ik slik mijn zelfwalging weg.

'Dank je wel.' Ik druk Veronique weg en haast me naar Randall.

Onderweg kom ik Els tegen. 'Randall is al heel lang op je aan het wachten.' Ik hoor een verwijtende toon in haar stem, ze wordt met de dag irritanter.

'Ik ben onderweg,' hijg ik. Mijn conditie gaat alweer achteruit, het ging juist zo goed.

Zonder te kloppen zwaai ik de deur open. 'Sorry, ik had een belangrijk telefoontje dat ik even moest afhandelen.'

'Laat de baas maar wachten.' Hij wrijft zijn handen tegen elkaar aan. 'Jij bent wel het wachten waard.' Ik moet een einde gaan maken aan deze relatie. De sms'jes waren de druppel. Zijn dochter is bang dat haar ouders gaan scheiden en dat heb ik teweeggebracht.

'Randall, we moeten hiermee stoppen. Jij bent getrouwd en je bent mijn baas.'

'Ik lig in scheiding.' Hij gooit zijn handen in de lucht. 'Hoe vaak moet ik dat tegen je zeggen?'

'Je hebt een gezin met twee kinderen die aandacht van je nodig hebben.' De bonkende hoofdpijn lijkt erger te zijn dan in de telefooncel, ik heb behoefte aan frisse lucht.

'Ga jij mij vertellen dat ik aandacht moet geven aan mijn kinderen? Ik heb laatst een hele week voor ze gezorgd.' Hij zegt het alsof hij er trots op is, dat zou precies de week zijn geweest van bootcamp.

'Ik bedoel dat je er mij beter niet bij kunt hebben.'

'Dat maak ik zelf wel uit. Ik kan jou er heel goed bij hebben en ik weet niet wat ik zonder je zou moeten.' Het is dat ik weet dat hij niet in scheiding ligt, anders zou ik het geloven.

'Het is over,' hoor ik mezelf onzeker zeggen. De toon van mijn stem had een stuk resoluter moeten klinken.

'Dat zei je de vorige keer ook al. Je speelt *hard to get* en ik hou wel van een uitdaging.' Shit. Hij wil het echt niet horen. De vorige keer probeerde ik er ook een einde aan te breien. Waarom heb ik niet doorgezet?

'Nee, dat speel ik niet. Ik ben serieus,' piep ik.

'Ahhh, je bent zo schattig. Je wipneusje gaat omhoog.' Ik voel met mijn hand aan mijn neus.

'Randall, ik vind het onprofessioneel. Het is over.' Ik heb mijn stem weer teruggevonden en mijn neus blijft op zijn plek. 'Ik ga weer verder.' Het beste is om nu gewoon weg te gaan, mijn trillende benen krijg ik met moeite weer in beweging.

'Wacht, ik heb een cadeautje voor je.' Hij staat op uit zijn stoel. Hij houdt een Louis Vuitton-tas in zijn handen, precies dezelfde tas als Veronique heeft. 'Ik weet wat vrouwen mooi vinden.' Deze tas is inderdaad erg mooi en ik onderdruk mijn neiging om die tas uit zijn handen te trekken. Ik wil die tas hebben.

'Dit kan ik onmogelijk aannemen, breng maar terug naar de winkel,' stamel ik.

'Ik heb het speciaal voor je uitgezocht.' Ik betwijfel het. Hij heeft die tas waarschijnlijk ooit voor Veronique gekocht en weet dat vrouwen wild worden van bepaalde tassen. 'Hij is voor jou, ik heb speciaal jouw initialen erop laten drukken.' Ik schuifel in zijn richting om de tas beter te bekijken. 'Mooie tas.' Waarom zeg ik dit? Ik moet die tas niet aannemen, dan wil hij vast weer iets van mij.

'Ik zie aan je ogen dat je deze tas heel graag wilt hebben, houd hem maar even vast.' Hij overhandigt mij de tas en ik aai met mijn handen over het canvas. Ik zie dat mijn initialen in het goud erop zijn gedrukt, iedere vezel uit mijn lichaam wil deze tas hebben. Het maakt me niet uit dat Veronique diezelfde tas heeft. Ik bestudeer de rode binnenkant en voel aan mijn mond of ik niet aan het kwijlen ben.

'Hallo!' Ik schrik op uit mijn liefde voor mijn nieuwe tas en ik zie nu dat Randall er iets achter verstopt had. Zijn broek hangt net boven zijn knieën. Ik laat de tas uit mijn handen vallen.

'Sorry, ik kan dit niet.' Ik weet niet waar ik moet kijken en ik vraag me af of hij met zijn geval tegen het canvas aan het schuren was. Gatver.

Randall trekt zijn broek omhoog. 'Ik weet niet wat jij wilt, je geeft me tegenstrijdige signalen. Wil je iets met mij? Of vind je mij echt zo weerzinwekkend? Jij lijkt die tas mooier te vinden dan mij.' Hij pakt de tas van de grond en gooit hem naar mij. Is hij jaloers op een Louis Vuitton-tas?

De tas ligt tussen ons in, als een grens in een oorlogsfront. 'Ik hoef jouw tas niet.'

'Jouw initialen staan erin, ik kan 'm niet meer ruilen in de winkel. Neem dat ding alsjeblieft mee, het herinnert mij aan de grootste fout in mijn leven. Dan te bedenken dat ik door jou in scheiding lig, ik hoop dat mijn vrouw mij nog terug wil nemen.'

'Dat hoop ik ook.' Vanbinnen kook ik van woede. In gedachten grijp ik de tas stevig vast en met een grote zwiep mep ik het ding tegen zijn schouder. Randall staat stil en doet niets terug. In een draaiende beweging blijf ik de tas tegen hem aan slaan, tien keer achter elkaar. Ik raak zijn nek en zijn hoofd, het moet ontzettend pijnlijk zijn. Bloedspetters vormen een patroon op zijn witte overhemd, passend bij het rode binnendesign van de tas.

De tas ligt nog steeds waardeloos verklaard op de grond, de fantasie dat ik hem ermee heb afgeranseld geeft me een gevoel van overwinning. Ik loop zijn kantoor uit en smijt de deur achter me dicht. Wat heb ik ooit in die eikel gezien?

21

'*Betty is op tv! Wat fijn dat ze besloten heeft om door te zetten. Goed gedaan, Emma. X Veronique*' Shit. Ik ben vergeten haar auditie af te zeggen.

Ik leg mijn laptop voorzichtig op tafel en zet de tv aan. Naarstig zap ik naar het juiste kanaal en zie dat de jury hard aan het lachen is. Is dit het moment dat ze haar aan het uitlachen zijn? Dit is inderdaad wel pijnlijk. Betty heeft twee staartjes in en draagt een donker joggingpak.

'Betty heeft een zware tijd achter de rug, haar vader is onlangs overleden,' hoor ik de zware voice-over zeggen. Nee! 'Ondanks haar psychische toestand heeft Betty besloten om door te zetten,' vervolgt hij. Ze grijpen alles aan om emo-tv te maken. Ik zie Betty met rode koontjes op haar wangen weglopen, ze duwt de camera opzij en scheldt iedereen uit. Misschien had Betty toch gelijk. Ik dacht dat ze overdreef.

'Ze is gymleraar,' hikt een van de BN'ers uit de jury en ze beginnen allemaal te lachen. Gek om James op televisie te zien, mijn hart maakt een sprongetje. Gelukkig lacht hij Betty niet zo hard uit als die andere juryleden, maar hij grijnst diplomatiek.

Een kwartier later schrik ik van de deurbel terwijl ik niemand verwacht.

'Laat me binnen,' tettert Betty in de intercom. Ik druk op

het knopje om haar binnen te laten. Ik gooi mijn deur open en wacht met mijn billen samengeknepen tot ze in de deuropening verschijnt.

'Dankzij jou lig ik in scheiding. Je wordt bedankt!' Betty dendert mijn huis binnen als een boemeltrein.

'Je bent niet getrouwd,' reageer ik en ik heb direct spijt van mijn primaire reactie.

'Dat doet er niet toe. Je hebt me mijn bruiloft ontnomen, door jou ga ik nooit trouwen en eindig ik als een verrimpelde trol. Leer daar maar mee leven.' Ze ijsbeert door mijn huis met haar modderlaarzen en ik durf haar hier niet op te wijzen. Dat wordt dweilen.

'Wil Matthieu niet meer met je trouwen?'

'Nee, natuurlijk niet. Wie wil er überhaupt met iemand trouwen die voor gek staat op tv?' Ik kijk naar de brokken modder die onder haar schoenen vandaan komen. Waar komt die modder vandaan? Het heeft vandaag niet eens geregend.

'Binnen een week is iedereen het weer vergeten. Maak je niet druk.'

'Maak je niet druk? Dankzij jou sta ik voor heel Nederland voor gek. Je hebt het expres gedaan want je bent jaloers op me. Jij wilt zelf trouwen. Beetje lastig als hij nog steeds getrouwd is, is het niet?' Betty lacht als een gemene heks uit een Disney-film.

'Je bent door naar de volgende auditieronde, dat is hartstikke goed nieuws.' Ik hoor mijn eigen stem in *power modus* overgaan, hopelijk werkt dit.

'Denk maar niet dat ik dit nog eens opnieuw doe. Kunnen ze die dikkerd gaan uitlachen.'

'Nee, jij bent kilo's afgevallen. Je bent gehalveerd,' roep ik uit. Ik overdrijf misschien een beetje.

'Vind je?' Ze walst met haar vieze laarzen naar mijn hal

waar een grote spiegel hangt en draait een rondje. Ik volg het modderspoor, en ik voel me als Hans en Grietje die tevergeefs het kruimelspoor volgen om weer de weg naar huis te vinden.

'Ja, je ziet er geweldig uit. Echt waar.'

'Aha, je probeert me te paaien. Ik heb je heus wel door, je bent een gewiekste tante. Ik weet niet wat ik moet doen. Matthieu wil niet meer met me trouwen.' Het lijkt alsof ze niet meer tegen mij praat. Ze aanschouwt zichzelf in de spiegel en begint te snikken. O nee. Ze banjert mijn huiskamer in en ik weet nu dat ik het hele huis kan gaan stofzuigen en dweilen.

Het wordt tijd voor een andere strategie. Betty is op de bank neergedaald en ik ga naast haar zitten en sla mijn arm om haar heen. Het voelt kunstmatig maar Betty lijkt het goed te vinden. 'Rustig, huil maar eventjes uit. Kun je uitleggen wat er precies tussen Matthieu en jou is gebeurd vanavond?' vraag ik.

'Matthieu is vanavond aan het korfballen, hij is niet thuis.'

'Heeft hij over de telefoon jullie verloving verbroken?'

'Nee, natuurlijk niet.' Betty heeft haar innerlijke kleuter weer gevonden. 'Als hij mijn auditie ziet, dan wil hij niet meer met mij trouwen.'

'Hij heeft je ten huwelijk gevraagd nadat je had opgebiecht dat iemand verliefd op je was. Dit is een stuk minder erg, lijkt me.' Ik heb het eruit gefloept voordat ik er erg in heb.

'Dat kun je niet met elkaar vergelijken,' briest ze. 'Ze hadden het ook over mijn overleden vader,' snottert ze. 'O nee, ik hoop dat mijn moeder het niet heeft gezien.'

Dit is wel mijn fout. De kriebels in mijn maag maken plaats voor een knoop. 'Sorry, dat is mijn schuld. Ik had gezegd dat je vader was overleden en dat je daardoor emotioneel was. Ik baal van mezelf, Betty.'

'Ja, dat is terecht. Er is geen excuus voor wat jij mij hebt aangedaan.' Ik maak een notitie in mijn hoofd dat ik nooit meer iemand ga helpen in nood. Ik had me er niet mee moeten bemoeien.

De telefoon trilt op de tafel en ik zie een privéberichtje van *@JamesOlivier*: *'Ik heb zin om je te zien Emma! X'*

'Heb jij een bericht gekregen van James Olivier?' Ze grijpt mijn telefoon van tafel en ik ben bang dat haar ogen uit haar kassen vallen.

'Ja, we waren wat berichtjes naar elkaar aan het sturen.'

'Hebben jullie echt contact?' Ze kijkt verbaasd.

'Ik had toch aan je verteld dat hij mijn ex-vriend is en dat we een date hebben gehad?'

'O. Ik dacht dat je dat verzonnen had, *girl*.'

'Waarom zou ik zoiets verzinnen?' De tranen van Betty zijn opgedroogd en ze lijkt vrolijk te zijn.

'Omdat het een interessant verhaal is om te vertellen.'

'Ik ken hem toch van vroeger, hij wil weer met mij afspreken.'

Betty klapt in haar handen. 'O wat leuk, mag ik dan mee?'

'Ik zal erover nadenken.' Ik vertel haar een andere keer dat ik liever privé met hem wil afspreken.

'Joepie, dat betekent dat ik mee mag. Als jij ergens over na wil denken dan zeg je uiteindelijk altijd "ja".'

'Ik laat het je nog wel weten, eerst maar zien of die afspraak doorgaat.'

Betty staat op van de bank en begint te springen. Ik kijk niet naar haar gore laarzen. 'Ik ga James weer ontmoeten.'

'Zullen we afspreken dat je alleen mee mag naar James, als je auditie gaat doen?'

'Dat is sneaky, *girl*. Dat doe je me niet aan.' Betty kijkt geheimzinnig naar me. 'Heb je het gehoord van Veronique? Haar man gaat vreemd, ik vind het sneu voor haar. Als ik

die vent tegenkom dan geef ik hem een klap voor zijn kop.'
Mijn zegen heeft ze.

'Heeft ze dat tegen jou gezegd? Ze heeft nog geen bewijs dat hij echt is vreemdgegaan.'

'Waar rook is, is vuur. Geloof me.' Ja, Betty kan het weten.

'We gaan hem binnenkort bespioneren.'

'Wat gezellig. Wanneer? Na bootcamptraining?' Dit had ik beter niet kunnen zeggen. Betty is de laatste op deze aardbol die je mee wilt hebben als je gaat spioneren.

'Ik ga samen met Veronique, ik weet niet of het handig is met zijn drieën.'

'Ik wil ook mee,' kermt Betty. Hoe ga ik dit aan Veronique verkopen?

'Ik zal het aan Veronique vragen, oké?'

'Ik heb heel veel ervaring met spionage. Ik bespioneer mijn vriendjes altijd, zeg dat maar tegen Veronique.'

'Zal ik doen.' Ik zucht. Mijn huis is bedolven onder modder en Betty heeft het niet eens opgemerkt.

'Je gelooft me niet. Ik heb het heus wel door.' Ze kijkt me met samengeknepen ogen aan.

'Je snapt me helemaal,' mompel ik. Gek genoeg lacht Betty mij toe.

'Ik ga naar huis, ik vond het supergezellig,' zegt ze alsof ze vergeten is waarom ze bij mij langs is gekomen vanavond.

'Ja, moeten we nog een keertje doen, *girl.*'

Als Betty de deur uit is trilt mijn telefoon. Een *Whatsapp* van James:

'*Speel je hard to get? Ik zit te wachten op een reactie. Wanneer zie ik je weer?*'

'*Kom maar langs.*' Mijn hart slaat over. Ik check mijn benen en besef dat ik ze snel moet scheren voordat hij hier is en ik weet niet eens wat de status van mijn bikinilijn is.

'*Shit. Ik zit in Rome...*' Oef, dan hoef ik voorlopig mijn benen niet te scheren.

'*Wanneer ben je weer in Amsterdam?*'

'*Ik ben volgende week weer terug voor de voorbereidingen van de battles. Ik kan niet wachten om je te zien. X*'

'*Tot snel! X*'

22

Drie dagen later zit ik in de auto om Randall te bespioneren. Het is een verspilling van tijd en energie. Veronique heeft een nieuwe Nike-sportoutfit aan, de strakke zwarte broek omsluit haar lange benen die niet op lijken te houden. 'Sorry, Veer.' Ik kan het niet helpen dat ik haar naam afkort. Gelukkig heeft ze niet door dat ik dat van Randall heb overgenomen.

'Ik vind het niet erg, hoor. Betty mag van mij mee.' Die vrouw van Randall is te goed voor deze wereld, ik schaam me diep dat ik me heb laten verleiden door hem terwijl ik wist dat Veronique met hem getrouwd was.

Betty rent op mijn auto af en ze zwaait uitbundig met haar armen. 'Wacht op mij.' Ik hoor haar stem door de ruiten heen. Hoezo onopvallend? Ze klopt op de deur waar Veronique zit. 'Mag ik voorin zitten?' Ze trekt Veronique aan haar arm moeiteloos uit de auto. 'Zo, ik zit, Veronique moet zich achterin kunnen verstoppen.' Schrijlings kijk ik naar haar schoenen en het kon niet anders dan dat ze mijn auto nu al in een modderpoel heeft veranderd, terwijl het nog steeds niet heeft geregend.

'Dat is een goed idee.' Veronique zit al achterin en vindt het blijkbaar prima.

'Ja, ik heb hier heel veel ervaring mee,' pocht Betty. 'Ik heb

Matthieu de eerste drie maanden van onze relatie gevolgd, je moet weten wat voor vlees je in de kuip hebt. Hij ging braaf naar korfbal. Ik doe nu alleen nog maar *random* controles.

Wat zit jij te grijnzen, *girl*? Denk je aan James?' Betty klapt in haar handen, daar gaan we weer. 'Heb je het al gehoord? James en Emma hebben contact.' Betty glundert dat ze nieuws kan vertellen aan Veronique.

'Wat leuk, maar dat wist ik al,' reageert Veronique. 'Ik ben heel trots op je, Betty.'

'Trots? Op mij?' Betty kijkt achterom.

'Dat je hebt doorgezet met de zangaudities. En ik wist niet dat je vader onlangs is overleden, gecondoleerd met je vader.'

'O dank je wel. Ja, ik ben zelf ook blij dat ik niet heb opgegeven. Het is gezien de omstandigheden met mijn vader best moeilijk.'

'Dat kan ik me voorstellen.' Door de achteruitkijkspiegel zie ik dat Veronique meelevend naar Betty kijkt.

Betty pinkt een traan weg. 'Ja, het zijn emotionele tijden, op school zijn ze ook erg lief voor me. Zelfs de kinderen zijn opeens aardig, ze hebben mijn auditie allemaal gezien.'

'En hoe gaat het met Mathieu?' vraag ik.

'Hij vindt het heel knap van me want hij had ooit ook een droom om professioneel korfballer te worden, maar door een blessure is dat niet gelukt. Hij is trots op me, maar hij vindt alleen wel dat ik te veel ben afgevallen. Hij haalt steeds frietjes voor me, patatje oorlog is zo ontzettend lekker. Niet aan Shawn vertellen.' Dus *as usual*, drama om niks...

We rijden een laan in met aan weerszijden hoge bomen, dit stukje Amsterdam heb ik niet eerder gezien. 'Ik wist niet dat er vrijstaande huizen in Amsterdam staan?' Betty zegt wat ik denk.

'Officieel is dit Amstelveen, het is een half uurtje fietsen naar het Vondelpark en er is een Bijenkorf.'

'Jij liegbeest, ik dacht dat je in Amsterdam woonde.' Betty gilt in mijn oor.

'Stop hier, daar wonen we.' Het is een heel strak wit herenhuis met drie verdiepingen. De voortuin heeft netjes strakgesnoeide struiken, als een klein doolhofje kun je over een grindpad naar de grote donkergroene voordeur lopen die precies in het midden van het huis is geplaatst. Voor de hoge ramen zijn grote donkergroene openstaande luiken in dezelfde kleur als de voordeur.

'Mocht jouw man vreemdgaan, dan kun je toch beter bij hem blijven.' Betty fluit. 'Mannen die dit soort huizen kunnen betalen mogen blijven. Al neukt hij de hele straat: man, vrouw, de hele flikkerse bende.'

Veroniques gezicht verkleurt en ze zegt: 'Betty, we moeten stil zijn en opletten. De oppas moest om zeven uur komen, dus hij kan ieder moment vertrekken.'

'Kijk het hek gaat open,' krijst Betty.

'Ssst.' Ik geef Betty een duw tegen haar schouder. De Porsche van Randall scheurt het grindpad af en ik zet de achtervolging in. Betty wipt als een stuiterbal op de stoel.

'Wat rijdt jouw man asociaal.' Ik vervloek het moment dat ik bij Betty over spioneren begon. 'Matthieu volgen is een stuk makkelijker.' Ja, die stopt bij elke Kentucky Fried Chicken om een emmer bakvet voor je in te slaan.

'Hij zou naar kantoor gaan, dit is niet in de richting van het kantoor,' merkt Veronique op. Ik hoor paniek in haar stem.

'Bij mijn werk veranderen locaties ook wel eens op het laatste moment. Geen zorgen.'

Ik volg Randall door de stad, zijn zilverkleurige Porsche is niet makkelijk bij te houden. Er dreunt een ringtone door de intercom van de auto en ik zie 'Niet opnemen' in het scherm staan. Mijn *bluetooth* heb ik met mijn domme hoofd niet uitgezet.

'Is dat je baas?' vraagt Betty.

'Ja.' Mijn trillende hand gaat naar het rode telefoon-icoontje om hem weg te drukken, maar Betty drukt al op de groene knop.

'Hallo baas van Emma,' gilt ze door de auto.

'Betty,' schreeuw ik kwaad.

'Em...' Ik druk Randall weg zo vlug ik kan en besef dat hij mijn opvallende Mini Cooper misschien zag rijden. Mijn gas neem ik terug zodat er meer afstand ontstaat en hij me onmogelijk nog kan zien.

'Waarom rij je langzaam? We zijn hem kwijtgeraakt.' De rode krullen van Betty springen alle kanten op omdat ze op zoek is naar Randalls auto. We rijden ondertussen in de buurt van het Excelsior hotel en ik vermoed dat hij daar zijn afspraak heeft. Hij spreekt vaker in de hotelbar af met zakenrelaties.

'Hij rijdt de parkeerplaats op van het Excelsior hotel,' blaft Betty in mijn oor. 'Wat knap dat je hem weer gevonden hebt, Emma.'

Achterin hoor ik het zachte gesnotter van Veronique. 'Ik heb heel vaak meetings in hotels, je hoeft niet te huilen, Veer.' Ik parkeer de auto aan de andere kant van de parkeerplaats. Als Randall naar binnen is gewandeld stap ik uit om achterin Veronique te troosten.

'Ga jij achter hem aan, Emma? Ik sta niet voor mezelf in,' snuift Betty.

'Ik dacht dat je zo goed was in spioneren,' zeg ik teleurgesteld en ik laat expres een stilte vallen in hoop dat ze toehapt.

194

'Ik ben inderdaad erg goed. Zal ik naar binnen gaan?' Betty wacht onze reactie niet af en ze loopt richting het hotel. Ik sla een arm om huilende Veronique. Ze rilt. 'Het kan heel goed zijn dat hij hier een afspraak heeft met een zakenrelatie.' Ik kan moeilijk zeggen dat ik dat zeker weet. 'Ik moet frisse lucht hebben,' hikt ze. We stappen uit de auto. 'Heb je een plastic zak in de auto? Ik ben misselijk.' Ik doe mijn achterbak open maar ik hoor haar al over haar nek gaan en ik stop mijn vingers in mijn oren. Ik kan niet tegen kokhalsgeluiden en ik ben bang dat ik ook moet gaan spugen. Ik grijp naar een pak *wetties* dat ik bij me heb voor dit soort noodgevallen. 'Gaat alles goed?' Betty is alweer terug. Ze trekt de *wetties* uit mijn handen en helpt Veronique.

'Ik ben een sympathie-kotser. Ik ben bang dat ik ook over mijn nek ga.' Ik hang met mijn hoofd naar beneden. Het bloed stijgt hierdoor naar mijn hoofd en de misselijkheid wordt nog erger dan het al was.

'Stel je niet zo aan, *girl*.' Betty die mij een aansteller noemt. 'Het is allemaal erg zwaar voor Veronique. Ik zag haar man net met een vrouw met dikke tieten een hotelkamer ingaan.'

'Niet,' roep ik uit. Veronique begint weer te kotsen en ik voel het maagzuur bij mij omhoog komen en ik heb mijn ademhaling niet onder controle.

'Emma, jouw vent gaat niet vreemd.'

Veronique zit in het gras te huilen. 'Ik wist het, ik ben een domme doos.' Ze praat meer tegen zichzelf dan tegen ons. Ik vermoed dat Betty de verkeerde man heeft gevolgd, ze weet niet eens hoe Randall eruitziet.

'Kun je hem niet bellen dat hij met spoed naar huis moet komen?' opper ik.

'Waarom zou hij naar huis moeten komen?' vraagt Veronique.

'Je zou kunnen zeggen dat je misselijk bent geworden tijdens bootcamp. Of hij je kan ophalen bij het Vondelpark, dan zet ik je daar af. Je ziet lijkbleek, dus hij zal het zeker geloven.'

'Oké.' Ze pakt haar telefoon uit haar zak. Haar trillende hand lijkt het gewicht van de telefoon niet aan te kunnen. Veronique knikt naar ons. 'Ik voel me heel slecht. Zou je me op kunnen komen halen in het Vondelpark? Ik heb net gespuugd,' snikt ze.

'En?' vraag ik als ze heeft opgehangen.

'Hij zei dat hij mij direct komt oppikken.' We stappen alle drie weer in de auto en ik rij de parkeerplaats af en zet de auto op de knipper neer. Ik sta klaar om plankgas naar het Vondelpark te sjezen.

In spanning wachten we in de auto af. Bij iedere persoon die naar buiten komt wandelen, geeft Betty een gilletje. Ik schiet steeds omhoog van schrik. 'Daar is hij samen met die blonde *bimbo*.' Ik knijp mijn ogen tot spleetjes.

Het is onmiskenbaar Els. 'Dat is Els, zijn secretaresse.' Veronique begint piepend te ademen en ik krijg het ook benauwd.

Ze zoenen elkaar uitgebreid voor zijn auto en ze heeft mijn Louis Vuitton-tas over haar schouder hangen. 'Wat een bitch,' roep ik uit. Ze heeft mijn tas ingepikt. Ik geef gas en ik rij met piepende banden weg. Randall en Els schrikken op uit hun zoen.

'We zijn aan het spioneren, je moet niet zo opzichtig wegrijden.'

'Hou je mond, Betty.' Ik weet niet of ik boos ben op Els, om die tas of om die klootzak van een Randall.

'Het is wel klassiek, de baas die zijn secretaresse neukt. En ik geef haar geen ongelijk, je hebt een knappe man en een mooi huis.'

'Betty, niet praten. Dit wil Veronique niet horen, oké.' Ik bijt op mijn lip.

'Ga jij janken?' vraagt Betty. 'Ik zie vandaag een heel nieuwe kant van je.'

Ik hoor Veronique jammeren op de achterbank, hopelijk heeft ze Betty niet gehoord. 'Gelukkig heb je Shawn achter de hand. Ik heb het heus wel gezien, hoor. Jullie vinden elkaar leuk. Veronique, de mannen staan in de rij voor jou. Je bent een ontzettend mooie vrouw.' Waarschijnlijk denkt Betty dat ze Veronique helpt met haar misplaatste opmerkingen.

We zijn al bijna bij het Vondelpark. Ik weet niet hoe ik haar de mond moet snoeren. De volgende keer neem ik ducttape mee. Ik hoop dat ze Betty's ongepaste opmerkingen niet heeft gehoord. Ik parkeer de auto en we begeleiden Veronique naar een bankje om te zitten.

Ik geef Veronique een knuffel. 'Sterkte,' fluister ik in haar oor.

'Dank je wel, Em. Ik weet niet wat ik zonder je zou moeten.' In de verte zie ik een Porsche aan komen scheuren.

'Ik moet weer verder want ik ben in staat om die vent in zijn kruis te trappen.' Ik trek een sprintje naar een dikke boom en Betty haalt me in.

'Op bootcamp heb je je ingehouden, *girl*. Je kunt veel harder rennen, dat ga ik bij de volgende training aan Shawn vertellen.'

'Sst, Randall is er.' Ik leg mijn hand voor haar mond zodat ze geen geluid kan produceren, mijn hand voelt direct klam aan door haar warme adem.

Voorzichtig gluur ik langs de boom en zie dat Randall uit zijn auto stapt. Met grote passen loopt hij naar Veronique die met haar hoofd tussen haar benen zit. Hij gaat naast haar zitten en legt zijn hand op haar onderrug. 'Gaat het, pop?' vraagt hij.

Veroniques lichaam schokt heen en weer. 'Ik voel me rot,' snikt ze.

'Heb je weer te weinig gegeten? Je moet meer eten als je zo veel sport.' Randalls stem klinkt bezorgd. Moeiteloos tilt hij Veronique op, het ziet eruit alsof hij haar tijdens de huwelijksnacht over de drempel tilt van de hotelkamer. Hij begeleidt haar liefdevol in de auto. 'Ik hou van je lieve Veer,' zegt hij voordat hij de deur dichtklapt. Binnen vijf seconden scheurt de zilveren racewagen bij ons weg.

Mijn hand haal ik van Betty's mond af en ik veeg hem droog aan mijn broek. Ik laat mijn hoofd vallen tegen de boom.

'Waarom doe je zo emotioneel?' Ze zwaait wild met haar armen in de lucht alsof ze een Italiaanse is.

'Kan je me alleen laten?'

Haar neus met sproetjes kijkt mij aan. 'Mag ik een keertje mee naar James?'

'Alleen als je nu weggaat.'

Ze loopt stampvoetend weg bij de boom naar de tramhalte. Eindelijk rust in mijn hoofd. Met mijn rug leun ik tegen de boom en ik concentreer me op mijn ademhaling. Ik ben geen haar beter dan die *bimbo* van een Els.

23

Over tien minuten moet ik mijn berekening af hebben, die sukkel van een Chris heeft me vijf minuten geleden een e-mail doorgestuurd die hij vanochtend al binnen had gekregen. Als ik mijn eigen planning maak, dan zal het nooit op de laatste minuut aankomen. In de kantoortuin waar ik werk sinds ik niet meer vervangend manager ben, hangt een onrustige *vibe*. Er wordt heen en weer gelopen en hard gelachen. Ik kijk geïrriteerd om me heen, maar niemand houdt rekening met het feit dat ik onder grote druk sta. Twee collega's zitten te giebelen en ik probeer niet naar hun oninteressante gesprek te luisteren, maar mijn oren zijn ongehoorzaam.

'Je gelooft het niet, het is echt waar. Ik zag hem net door de gang lopen,' hoor ik haar zeggen.

De andere collega slaakt een gilletje. 'Echt?'

'Sst. Kunnen jullie alsjeblieft stil zijn,' onderbreek ik mijn collega. Ze slaat haar ogen neer en begint met een glimlach op haar pc te typen, ik durf te wedden dat ze aan het chatten is. De andere collega sluipt geruisloos weg.

Oké, dit heeft mij twee kostbare minuten gekost. Ik tuur naar mijn Excelsheet en check of de formules juist zijn. Er landen twee warme handen op mijn gespannen schouders, mijn collega die ik zojuist een reprimande gaf zie ik geheimzinnig gniffelen. Zonder te kijken duw ik de twee handen van mijn schouder af. 'Ran, doe normaal,' snauw ik. 'Je weet dat de beurzen over vijf minuten sluiten en ik moet dit voor die tijd afronden.' Er parelt een zweetdruppeltje van onder mijn bh-bandje richting mijn slipje.

'O,' reageert een warme stem die duidelijk niet van Randall is. 'Word je vaker gemasseerd als je aan het werk bent?' De verwijtende toon spat ervan af, ik draai me om en sta oog en oog met James. Zijn normaal gesproken lichte ogen kijken mij donker aan. Er gaat een rilling door mij heen die ik niet kan plaatsen. Vanuit mijn ooghoek zie ik de grote digitale klok, met rode cijfers waarop de secondes wegtikken. Dit is kostbare tijd, maar hoe kan ik in hemelsnaam aan James uitleggen hoe deze ingewikkelde financiële wereld werkt. Voordat de beurs sluit moet ik berekend hebben hoeveel aandelen we gaan kopen, dit kan niet wachten tot morgenochtend.

'James, ik had je niet verwacht,' stamel ik. 'Nee, ik dacht dat een collega een flauw grapje maakte. Ik vind het heel vervelend, maar ik moet nu iets afronden en dan kan niet wachten.' Mijn stem klinkt bedrukt, ik zie aan James' ogen dat hij teleurgesteld is.

'Wat een mooie bos rozen,' klinkt Els' stem. Nu valt het me pas op dat hij rozen voor me heeft meegebracht. Els staat tussen ons in en negeert mij volkomen, eigenlijk moet ik dankbaar zijn voor haar tussenkomst want dat geeft mij nog een paar minuten tijd om mijn werk kwalitatief goed af te ronden. 'Zal ik ze in een emmer met water neerzetten?'

'Emma heeft momenteel geen tijd voor me, geloof ik.'

Er trekt een rilling door me heen.

'Heeft ze geen tijd voor je? Ik zou het wel weten als mijn geliefde mij verrast op het werk. Het is een bijzondere meid, die Emma. Ze is getrouwd met haar werk.' Er zit een afkeurende toon in haar stem. 'Loop maar met me mee, dan schenk ik iets lekkers voor je in.' Ze praat tegen hem alsof ze hem zo meteen op de plee gaat verwennen.

'Dat is vriendelijk. Em, ik loop met je aardige collega mee.' Hij accentueert het woordje 'aardig' en ik probeer het te negeren.

'Over vijf minuten ben ik klaar,' piep ik. Mijn ogen richten zich op mijn computer en ik probeer niet te denken aan James en Els. De cijfers dansen voor mijn ogen, focus Emma, commandeer ik mezelf. Ik zucht diep en tik de formules in die ik nodig heb om tot een juiste berekening te komen.

'Emma, beschouw dat mailtje dat ik je net stuurde als niet verzonden. Het was een vergissing van me.' Chris staat hijgend met zijn permanente rode koontjes op zijn wangen naast mijn bureau. 'Heb je de aandelen al gekocht?' Zijn stem klinkt als een paniekpiet die vergeten is om de staf van Sinterklaas mee te nemen naar de stoomboot richting Nederland en die zich dat halverwege de reis pas realiseert.

'Nee, ik heb de aandelen nog niet gekocht,' zeg ik emotieloos.

Hij klapt in zijn hand van blijdschap. 'Jeetje, dat komt goed uit, normaal gesproken ben je niet zo langzaam.'

Mijn been zwiept in de lucht en ik raak hem met de neus van mijn pump vol in zijn kruis, hij krimpt ineen van de pijn. Als een ninja spring ik op uit mijn stoel en begin op hem in te slaan met mijn gebalde vuisten, zoals ik geleerd heb op bootcamp. Hij roept: 'Genade Emma.' Dan nog een judo-schop en een karate-kick, en klaar is kees. Die gaat lekker door een rietje eten de komende tijd.

'Nou, ik ga maar weer eens.' Met een flits ben ik weer terug in de realiteit en Chris slentert ongeschonden terug naar zijn privékantoor.

Op de klok zie ik dat de aandelenbeurs ondertussen gesloten is. Ik sta op vanachter mijn bureau en besluit op zoek te gaan naar James en die slet van een Els. Als zij hem met één vinger aanraakt, sta ik niet voor mijn acties in. Mijn hakken weerklinken op de vloer, het is een sneller ritme dan als ik naar de keuken ga om een kop koffie te halen.

'Jij bent het allerleukste jurylid.' De hoge stem van Els komt duidelijk vanuit de keuken en ik wandel zo hard ik kan, het liefste zou ik rennen. Zij blijft met haar tengels van mijn James af. 'Zal ik een stukje voor je zingen?' In de deuropening zie ik dat Els met haar voorgevel over het keukentafeltje hangt.

'Daar is mijn stresskonijntje.' De stem van James maakt dat mijn lichaam vanbinnen gloeit. Zijn hoekige kaaklijn vertrekt geen spier, maar zijn ogen twinkelen naar mij.

'Zingen is mijn passie,' zegt Els op een zangerige toon. 'Is Emma het meisje dat onterecht dacht dat ze op date was met James Olivier? Dat hoorde ik laatst op de radio, het moet heel gênant geweest zijn,' hikt ze van het lachen.

De blik van James priemt nog steeds in mijn richting en hij reageert niet op Els. 'Ben je klaar met werken?'

'Ja,' stamel ik. Er liggen nog stapels administratie op mijn bureau, maar dat kan wachten tot morgen. James staat op van zijn stoel, zijn gespierde bovenlijf imponeert mij. Tien jaar geleden was hij nog niet zo afgetraind als nu, valt me op. Els heeft haar mond half open staan en kijkt adorerend naar James.

'Goedemiddag,' achter me klinkt de stem van Randall. Ik zet een stapje opzij zodat hij de keuken in kan. 'Mijn meest favoriete dames en…' Randall kijkt verbaasd naar James, maar herpakt zich en steekt zijn hand uit om zich voor te stellen als Managing Director van Vertimix. Hij doet nog net niet zijn broek naar beneden om te laten zien hoe groot zijn lul is.

'Ik ben James Olivier.' De stem van James is krachtig, hij steekt nonchalant zijn handen in zijn zakken. Iets wat ik normaal gesproken geen aantrekkelijke houding vind maar bij James wel. Er is een verlangen in mij om mijn handen in zijn zakken te steken, iets dat ik nooit eerder bij iemand heb willen doen.

Randall knijpt zijn ogen ietsjes en neemt hem taxerend op. 'Sorry, het ontgaat me even waar je werkzaam bent.' Randall verschiet niet van kleur, maar hij is graag op de hoogte van alle klantencontacten en deze klant kan hij duidelijk niet plaatsen.

Randall is ongeveer tien centimeter kleiner dan James, ze staan lijnrecht tegenover elkaar. Randall heeft vandaag zijn donkere Italiaanse pak aan met nauw lopende pijpen die zijn smetteloze schoenen raken, zonder plooien erin. Zijn kont is welgevormd in die broek en goed te zien omdat hij zijn jasje meestal over zijn bureaustoel hangt. James draagt een versleten jeans, die waarschijnlijk niet versleten is omdat hij het zo veel heeft gedragen. Het is een *skinny* model, normaal gesproken voor mij een teken dat de man in kwestie wellicht niet op vrouwen valt, maar James staat het supermannelijk. En één ding weet ik zeker: James valt op vrouwen. Hij heeft een zwart v-hals t-shirt aan met een jasje. James zou zomaar uit een Diesel-fotoshoot weggelopen kunnen zijn, Randall zo uit een reclame voor Armani: inclusief de geur die om hem heen hangt.

De schelle lach van Els brengt me weer terug op aarde. 'Dit is James Olivier, hij is een wereldberoemde zanger, Ran.' Bij het woordje Ran schieten de wenkbrauwen van James omhoog. Ik zie haar voor me in die hotelsuite, benen in de lucht met haar sloeriehakken nog aan en haar schelle stem: Ja Ran. O ja. O ja. Harder, Ran.

'Sorry, ik kijk zelden televisie, maar je geld is bij ons in goede handen.' Bij Randall ontstaan er dollartekens in zijn ogen, waar Dagobert Duck een puntje aan kan zuigen.

'Mijn geld?' vraagt James. Ik doe mijn mond open, maar er komt geen geluid uit. 'Ik ben hier op bezoek voor Emma.' De twee mannen kijken nu allebei naar mij, ik sta met mijn armen in mijn zij en wiebel op mijn benen. 'Zo, je laat je tegenwoordig door je vriendjes ophalen van je werk?' merkt Randall op.

'Het was een verrassing,' legt James uit. 'Emma wist niet dat ik langs zou komen, we zijn oude vrienden van elkaar.' Hij kijkt op zijn horloge. 'Mijn taxi staat buiten te wachten en ik moet gaan, anders mis ik mijn vlucht en ik heb vanavond een optreden in Londen.'

'Heb je nog tijd om naar mijn eigen geschreven liedje te luisteren?' smeekt Els. Randall kijkt mij strak aan en ik voel me kwetsbaar.

James stapt op mij af en ik voel zijn hand om mijn middel, er gaat een elektrische schok door mijn lichaam. Zijn warme lippen voel ik zachtjes op mijn wang landen. 'Emma, ik bel je snel.' Hij loopt het nauwe keukentje uit en Els achtervolgt hem op haar 'fuck me'-stiletto's.

'Oude vrienden? Je kleedt hem uit met je ogen.' Er ontstaan rimpels op Randalls voorhoofd.

'Ben je jaloers?'

'Het is duidelijk dat je die kus net fijn vond, ik ben niet blind.' Hij slaat zijn armen over elkaar heen. 'Ik herken die blik. Het doet pijn dat jij zo makkelijk verdergaat met je veroveringen,' bromt hij.

'Weet je wat pijn doet? Er na drie maanden achter komen dat de man op wie je verliefd bent helemaal niet in scheiding ligt, sterker nog: dat hij nog niet eens ruzie heeft met zijn vrouw,' spuw ik.

Randall leunt nonchalant tegen het aanrecht aan en begint te lachen. 'Je moet niet naar die roddels luisteren, ik lig in scheiding.' Hij kijkt mij recht aan zonder met zijn ogen te knipperen, of weg te kijken, hij vertrekt geen spier. Ik plaats mijn armen in mijn zij. 'Ik weet dat je liegt, en het beangstigt mij om te zien hoe gemakkelijk het je afgaat.' Mijn stem trilt, ik begrijp niet hoe ik me zo in hem heb kunnen vergissen.

'Ik hou van je Emma,' fluistert Randall. 'Je bent de meest begeerlijke vrouw die ik ooit heb ontmoet.' Randall zet een grote pas in mijn richting omdat hij ruikt dat ik bijna ga huilen. Zijn grote puppyogen kijken mij aan en hij vouwt zijn zachte handen om mijn vingers.

Mijn vingers maken zich direct los uit zijn greep. 'Randall, laat me met rust.' Ik draai me om en ren het keukentje uit. Door de ruiten zie ik het voorspelde stormachtige weer, maar ik heb nu zuurstof nodig.

24

'Jullie zijn uitgenodigd voor mijn tweede auditieronde. Ik heb speciaal voor mijn vrienden kaartjes gekregen.' Betty kijkt ons triomfantelijk aan, ik ben nog zwaar aan het nahijgen van het laatste sprintje en voel me licht in mijn hoofd. Het is een slecht idee om in een warme kroeg te gaan zitten na een zware training.

'Kan ik mijn dochter meenemen?' Veronique kijkt naar Betty. Haar haar valt mooi op haar schouders. Als je niet beter wist zou je denken dat ze net van de kapper komt en niet van een loodzware bootcamptraining. Ik voel dat mijn haar in slierten aan mijn hoofd vastkleeft.

'Ik mag maar twee vrienden meenemen, sorry.'

'Anders ga jij samen met Roos in plaats van mij,' mijn stem klinkt rauw door de inspanning van afgelopen uur. Ik heb geen zin om James te zien na onze laatste ontmoeting op mijn werk, en hij zit in de jury. Ik denk al de hele dag aan hoe hij zijn wenkbrauwen optrok bij het horen van de naam 'Ran', alsof hij zich realiseerde dat er iets heeft gespeeld tussen ons. Sindsdien, nu al meer dan vierentwintig uur geleden heb ik niets meer van hem gehoord. Steeds als ik een *Whatsapp* heb getikt, wis ik het voordat ik het kan verzenden.

'En bedankt, Emma.' Betty staat met haar armen over elkaar voor mijn neus. 'Jij mag speciaal met mij mee en dan geef je je kaartje zomaar weg.' De tranen hoor ik alweer in Betty's stem.

'Sorry, het leek mij leuk voor Roos om een auditie mee te maken. Ik had er niet zo over nagedacht,' leg ik uit.

'Je bent zo ongevoelig.' Ik slik. Ben ik ongevoelig? Ik wrijf in mijn ogen. Mijn benen trillen nog steeds na, hopelijk ben ik in staat om morgenochtend uit mijn bed te komen.

'Betty, Emma bedoelde het aardig. Jij had toch zo'n haast? Je hebt de hele training geroepen dat je ergens heen moest.' Het lijkt wel of Veronique tegen haar kind praat, niet dat ik haar ooit heb horen spreken tegen haar kinderen.

'Ja, ik heb een interview. Ik heb er zo'n zin in!' Ze hopt als een kangoeroe heen en weer.

Er zitten opvallende zweetplekken onder haar oksels die een paar tinten donkerder kleuren dan haar grijze sporttrui. 'Ga je eerst nog langs huis om te douchen?' vraag ik.

'Nee, ik kleed me daar om in de kleedkamer.' Ik vervloek mezelf dat ik erom heb gevraagd. 'Ik zweet niet over het algemeen,' gaat ze verder. Betty huppelt al zwaaiend weg waardoor de zweetplekken nog beter te bewonderen zijn.

'Eindelijk is ze weg. Ik moet echt even met je praten, Emma.'

'*Shoot*.' Ik hoop dat ze me geen advies vraagt over Randall.

'Moet ik bij Randall weg?' Natuurlijk, ik had het kunnen weten. Ik wiebel heen en weer op mijn stoel en pak een bierviltje tussen mijn duim en wijsvinger. Buiten zie ik sporters hardlopen, een aantal maanden geleden vond ik het uitslovers en nu ben ik er zelf deel van geworden.

'Wat wil je zelf?' vraag ik.

'Het is allemaal erg verwarrend, ik heb hem er niet eens mee geconfronteerd. Hij denkt dat ik van niets weet. En ik ben zelf ook geen heilig boontje.' Ze staart voor zich uit. 'Wie ben ik om hem te veroordelen?' Ze slaat haar ogen neer.

'Dat van jou is onschuldig. Je hebt alleen maar een beetje gejanst met de bootcamptrainer.' Ze moest eens weten wat Randall allemaal uitspookt.

'Dat weet ik niet.' Ik zie dat Shawn onze kant op loopt en ik zwaai met mijn armen om haar te waarschuwen. 'Wat is erger? Vreemdgaan of echt gevoelens hebben? Ik ben denk ik verliefd op Shawn.'

'Hard gewerkt, dames.' Shawn staat voor ons tafeltje. Zou hij Veronique gehoord hebben? Ze had ondanks mijn waarschuwing niet door dat hij eraan kwam en kleurt nu diep rood.

'Hi Shawn, dank je wel voor de training.' Hij gaat naast haar zitten en klopt met zijn hand zachtjes op haar bovenbeen. De lucht knettert van de spanning en ik voel me een toeschouwer van iets wat ik niet wens te zien.

'Ik ga ervandoor.' Ik grijp de leuning van mijn stoel zodat ik mezelf kan afzetten om op te staan, mijn beenspieren protesteren. Ze horen mij niet en zijn ondertussen diep in gesprek.

Ik loop moeizaam naar buiten en zie een zilveren Porsche staan. Ik kijk in de bolide en zie dat Randall aan het bellen is. Gaat hij Veronique ophalen? Moet ik haar waarschuwen met het risico dat hij mij ziet? Ik ren terug naar binnen, blijkbaar zit er meer kracht in mijn lichaam dan ik dacht. 'Jouw man zit buiten op je te wachten,' hijg ik.

Nu horen ze mij wel en Shawn sprint de kroeg uit alsof hij het wereldrecord op de honderd meter probeert te verbeteren. 'Tot volgende week,' roept hij na.

'Hoe weet hij dat we hier zitten?' vraag ik Veronique.

'Ik had hem een sms gestuurd dat we nog een drankje drinken hier. Dat hij me zou ophalen had ik niet verwacht,' zucht ze.

Ik kijk achter me om te zien of hij er al aan komt. Ik moet weggaan voordat hij ons samen ziet. Mijn telefoon gaat en ik zie 'Niet te vertrouwen' in mijn scherm opdoemen.

'Loop jij maar naar buiten, oké? Je moet echt wat voorzichter zijn met Shawn.' Ik schrik van mijn eigen reactie. Waar bemoei ik me mee?

Veronique loopt naar de uitgang en ik neem mijn telefoon op. 'Hallo?'

'Ik mis je, Emma. Ik kan niet zonder je. Ben je verliefd op die zanger? Volgens mij is het een *womanizer*, ik herken dat soort types direct. Hij is niet te vertrouwen, pop.' Ik visualiseer me dat hij achter het stuur zit en dat Veronique komt aanlopen.

'Wat zeg je? Ik kon je niet goed verstaan want ik sta in een kroeg.' Op de achtergrond hoor ik de deur opengaan.

'Ik moet nu ophangen, ik spreek je morgen.' Met een klik is Randall weg.

25

'Gaat alles goed met je? Je bent zo stil?' vraag ik Veronique.
Veronique gaat rechtop zitten. 'Ik ben gewoon in de war.'
Ze roert met haar lepel door de pompoensoep. Ik heb Veronique uitgenodigd om bij mij te komen eten, zodat ze haar
hart kan luchten over haar problemen. Veronique kan ik
niet zomaar iets voorschotelen en gelukkig heeft de blender
de pompoen die ik had verminkt gered. Het lijkt zo makkelijk als Gordon, Jamie of Nigella het doen.

'Ik ben ook in de war. James stuurt me steeds van die lieve sms'jes, maar ik weet niet of ik bestand ben tegen al die
vrouwelijke fans.' Laatst ben ik per ongeluk op een online
forum terechtgekomen waar vrouwen met elkaar bespreken
hoe ze met James in contact kunnen komen. Eentje beweer-
de dat ze met hem naar bed is geweest, de gedachte dat er
een andere vrouw bij hem in bed lag vond ik verschrikkelijk.

'Het valt vast mee,' reageert Veronique. Ze is duidelijk niet
zichzelf, nu ze zich zo rot voelt.

'Heb je je man geconfronteerd over zijn secretaresse?' Ik
durf de naam Randall niet in mijn mond te nemen.

'Wie ben ik om het hem kwalijk te nemen? Ik zit ook con-
tinu met Shawn te sjansen.' Ze pakt een stukje stokbrood en
doopt het in de soep.

'Dat is niet met elkaar te vergelijken. Hij spreekt in een

hotel af met zijn secretaresse. Jij sjanst, zoals elke vrouw, met je trainer?' Ik geef haar een knipoog maar ze ziet het niet.

Veronique eet rustig haar stokbroodje op. 'Ik ben verliefd op Shawn. Wat moet ik doen?'

Ik denk aan de ongepaste opmerkingen van Randall. Hij zal haar altijd blijven bedriegen, dat verdient Veronique niet. 'Misschien moet je het een kans geven?'

'Bedoel je dat ik een relatie moet beginnen met Shawn? Ik moet vijftien jaar huwelijk opgeven omdat ik verliefd ben geworden op mijn bootcamptrainer?' Ze zwaait met haar soeplepel en er valt precies een druppel op mijn hand. Ze heeft het niet door en ik wrijf snel met mijn servet mijn hand schoon.

'Je moet het natuurlijk zelf weten want ik heb hier geen ervaring in,' verdedig ik.

'Misschien vindt Shawn mij niet eens echt leuk? Lig ik straks in scheiding en gaat hij ervandoor met een jong ding van twintig.'

'Hij vindt jou heel erg leuk, dat is duidelijk.'

'Echt? Je vindt dus dat ik van Randall moet scheiden?' Ze haalt haar elastiekje uit haar haar en schudt het los met haar handen. Ze heeft magische haarkrachten want het zit direct goed. Ze smeert een stokbroodje met kruidenboter en reikt het me aan.

'Nee, ik hoef geen brood meer.'

'Je vindt dus dat ik moet gaan scheiden?'

'Ja, ik denk dat het beter is.'

'Oké. Hoe gaat het met jou? We hebben het steeds over mij. Hoe zit het met je baas?' Ze eet rustig door en ik hoop dat ze niet ziet dat mijn wangen kleuren.

'Dat is al heel lang over, ik ben niet meer verliefd op hem. James blijft door mijn hoofd spoken. Ik weet alleen niet of ik verlang naar die onbezorgde tijd die we ooit samen hadden of dat ik hem nu echt leuk vind.'

'Beetje onrealistisch om verliefd te worden op een internationale superster, vind je niet?' De woorden van Veronique klinken gevoelloos. 'Je bent niet verliefd op hem. Je wilt gewoon kijken of je hem kunt paaien want jij houdt wel van een uitdaging.' Ik kijk haar verbaasd aan en zie twee kille ogen.

'Het is wel mijn eerste liefde. We waren stapelgek op elkaar. Ik zie hem niet als superster.' Ik begrijp niet waarom ze zo onaardig doet over James en mij.

'Ja, natuurlijk. En dat moet ik geloven?' Ze schudt haar hoofd en haar bruine haren dansen heen en weer.

'Ja, waarom niet? Mijn hand begint te trillen waardoor mijn bestek een tikkend geluid maakt tegen het porseleinen bord. Ik leg mijn lepel op tafel en laat mijn hand rusten.

'Je spreekt de waarheid tegen mij?' Ik forceer mijn hoofd om naar Veronique te kijken en het kan niet anders dan dat ze mijn angstzweet ruikt.

'Euh. Ik zou niet weten waarom ik niet de waarheid zou spreken,' stamel ik.

'Waar werk je eigenlijk, Emma?' O nee, ze weet het. Shit. Ik staar naar mijn bord waarop een restje soep ligt te wachten om opgegeten te worden. Ik vertrouw mijn hand niet.

'Ik werk in de financiële wereld. Het is een klein bedrijfje.'

'Ik weet waar je werkt,' zegt ze. Ik voel een koude zweetrilling ontstaan. 'Ik begrijp niet dat ik jou als vriendin heb gezien. Ik weet nu zeker dat je er alles aan doet om mij en Randall uit elkaar te drijven. Zelfs tijdens dit etentje probeer je mij ervan te overtuigen te gaan scheiden, het is allemaal doorgestoken kaart.'

Ik krijg kippenvel van de kalme stem van Veronique. Ik had liever gehad dat ze tegen me zou gillen. Misschien slaan? Dat verdien ik namelijk. Maar ze blijft emotieloos naar me kijken.

'Ik wist heel lang niet dat hij, euh, jouw man was. Ik kwam

er pas achter aan het einde van de bootcampvakantie.'

'En toen je erachter kwam heb je geen seks meer met hem gehad?'

Ik hoef hier niet lang over na te denken. 'Sorry, Veer.' Ik kijk omlaag als ik het toegeef.

'Noem me geen Veer, ik heet Veronique.'

'Het is maar één keertje geweest en ik heb er ontzettend veel spijt van,' leg ik uit.

'Er is niets sympathieks aan jou. Ik dacht dat ik er een vriendin bij had.' Ze schudt haar hoofd heen en weer. 'En toen zag ik jullie ranzige sms'jes in zijn telefoon.'

'Sorry, Veronique. Ik mag je heel graag en ik vind dat Randall jou niet verdient. Daarom vind ik dat je moet scheiden. Hij is een pathologische leugenaar, echt.'

'Wat ben jij dan?'

'Ik was verliefd op hem. Jij hebt me nog aangemoedigd om ervoor te gaan.' Ik moet leren mijn mond te houden. De knoop in mijn maag groeit met de seconde.

'Je had me niet verteld dat je baas getrouwd was.' Haar stem is nu minder kalm en haar ogen kijken dwars door mij heen.

'Liefde maakt blind. Randall vertelde mij dat hij in scheiding lag en dat zijn vrouw was vreemdgegaan met de buurman,' piep ik.

'Onze buurman valt op mannen.' Veronique doet haar handen voor haar ogen en barst in huilen uit. Ik ga naast haar zitten om haar te troosten. 'Raak me niet aan,' schreeuwt ze met toe, terwijl ik een flinke duw krijg.

'Sorry, Veronique. Het spijt me, ik voel me heel erg schuldig.'

Ze staat op en pakt haar jas en haar tas van de bank. 'Ik ben uitgepraat met jou.'

26

Ik staar naar mijn telefoon en bedenk wat ik James moet sturen, hier heb ik de afgelopen week al heel veel tijd in gestoken zonder enig resultaat. Op *Whatsapp* hou ik non-stop in de gaten of hij online is geweest, en als ik geen berichtje van hem heb ontvangen vervloek ik het moment dat ik hem niet voldoende aandacht gaf op mijn werk. De laatste keer dat ik hem zag was hij speciaal met een bos rozen langsgekomen, ik heb niet eens de moeite genomen om hem te bedanken daarvoor. Die bos ligt waarschijnlijk nog in die emmer in het keukentje te verpieteren. Het idee om die bos in mijn huis neer te zetten en herinnerd te worden aan mijn gedrag voelt als een marteling.

'Daar is mijn lievelingsvrouw,' zegt Randall als ik zijn kantoor binnenloop. Ik was bijna vergeten dat ik in Randalls kantoor zat.

Ik kijk hem strak aan. 'Weet je het zeker? Volgens mij heb je meerdere lievelingetjes.'

'Ik voel de laatste tijd wat vijandigheid. Heb ik je iets misdaan? *Jij* kreeg laatst bezoek op kantoor van een andere man, ik heb meer recht om boos op jou te zijn.'

'Daar ben ik het niet mee eens.'

'Je gaat toch niet weer beginnen over die promotie?' Hij staat op van zijn stoel. Door het tegenlicht van de felle zonnestralen kan ik zijn gezichtsuitdrukking niet lezen, er ontstaat een halo van licht om zijn gelaat.

Ik knijp mijn ogen samen en probeer tegen het licht in hem emotieloos aan te kijken. 'Jij begint erover, ik heb daar niets over gezegd.'

Hij loopt een rondje door de kamer en pakt mijn schouder vast. Zijn vertrouwde vingers grijpen stevig in mijn schouder, alsof ik een gevangene ben die zou kunnen vluchten. Ik duw zijn hand weg.

'Er was een tijd dat je het heerlijk vond als ik je aanraakte.' Ik huiver.

'Ik weet dat je een relatie hebt met Els.'

Hij loopt weer terug naar zijn bureaustoel, gaat zitten en leunt quasinonchalant achterover. 'Wat een raar verhaal. Van wie heb je deze roddel gehoord? Wacht even.' Hij drukt op zijn intercom. 'Els, kun je even binnenkomen?' vraagt hij.

Binnen vijf seconden gaat de deur open.

'Doe de deur even achter je dicht,' beveelt Randall. Ze sluit slaafs de deur. Vandaag heeft ze haar blonde haar opgestoken, wat plukken hangen losjes voor haar gezicht. Ze draagt een jurkje met glitters die van haar meloenen twee discoballen maken. 'Er is een nieuwe roddel, hou je vast: er wordt gezegd dat wij een relatie hebben,' lacht hij. Hij slaat met zijn vuist op het bureau. 'Wat een grap.'

Els begint ook te lachen. 'Inderdaad, wat een grap,' hikt ze. Haar discoballen deinzen mee op de beat van haar gelach. Ik was er zeker ingetrapt als ik ze niet met mijn eigen ogen had gezien.

'Wat een cliché, Emma. Als ik vreemd zou gaan, dan zou ik dat met jou doen.'

'Kan ik weer gaan?' vraagt Els. Haar lachsalvo is als sneeuw voor de zon verdwenen. Ze sjort haar jurk een centimeter omhoog, alsof ze mijn gedachten kan lezen.

'Het is geen roddel die ik heb gehoord. Ik heb jullie samen gezien.'

Randall gaat rechtop zitten. 'Je kunt gaan, Els.' Ze vlucht als een haas de kamer uit.

'Je hoeft het mij niet uit te leggen. Wij zijn niet getrouwd.' Ik ben blij dat ik zijn ware aard heb gezien voordat het te laat was. Arme Veronique is wel met deze man getrouwd.

'Het was maar eenmalig. We hadden allebei tot laat gewerkt hier op kantoor en van het één kwam het ander.' Hij wrijft met zijn hand over het bureau alsof hij de plek aanwijst waar ze seks hebben gehad. Precies dezelfde plek waar ik ook heb gezeten.

'Ik heb jullie niet hier op kantoor gezien.'

'O. Misschien was het inderdaad twee keer.' Ik onderzoek Randalls gezicht. Ik denk dat hij zelfs een leugendetector om de tuin zou kunnen leiden. Hij gelooft in zijn eigen leugens.

'Het maakt mij niet uit, Randall. Het is over tussen ons.'

'Sorry, ik heb een grote fout gemaakt. Vergeef het me. Wat verwacht je van me, Els besprong me. Wat had ik moeten doen?' Hij praat alsof hij het slachtoffer is in het geheel.

'Het is over, ik had er nooit aan moeten beginnen.'

Randall staat weer op en loopt naar me toe. Hij legt zijn handen op mijn schouders en kijkt me in mijn ogen. Dan buigt hij zich voorover zodat ik zijn adem op mijn wang voel. 'Vergeef me,' fluistert hij in mijn oor.

Ik duw hem van me af. 'Onze relatie is alleen nog professioneel.'

'De vorige keer wilde je ook niets van me weten.' Hij trekt één mondhoek omhoog en er speelt een glimlach op zijn gezicht. 'Je weet hoe dat geëindigd is, pop.'

'Ik speel geen spelletje. Ik walg van je,' schreeuw ik.

Hij slentert terug naar zijn bureau. Het valt me op dat hij

X-benen heeft, ontzettend onaantrekkelijk. 'Jouw afdeling heeft de slechtste maand *ever* gedraaid.' Hij zet zijn leesbril op en bekijkt een Excelsheet. 'Kun je mij uitleggen wat er precies gebeurd is?'

'Jij hebt besloten om die flapdrol van een Chris manager te maken van de afdeling. Hij durft geen besluiten te nemen, daar verliezen we letterlijk geld op.'

'Ik had aan jou gevraagd of je hem een beetje kon coachen. Ik heb niet het idee dat je dat hebt gedaan de afgelopen tijd.'

'Die man laat zich niet coachen en hij verstopt zich de hele dag in zijn kantoor. Hij beantwoordt geen enkel mailtje en hij fiatteert niets.'

'Heb je hem al geconfronteerd met zijn gedrag?'

'Nee, daar ben ik niet aan toegekomen.' Ik trek een velletje weg bij mijn nagels. Au. Het waren drukke tijden geweest.

'Ik verwacht dat iemand die een managerspositie ambieert, hier iets mee doet. Dat noem ik leiderschap. Niet leiderschap vanuit een hiërarchische positie, maar leiderschap vanuit jouw verantwoordelijkheidsgevoel.' Hij draait met zijn bureaustoel naar het raam en kijkt naar buiten.

'Vind je dat ik geen verantwoordelijkheidsgevoel heb?' De tranen branden achter mijn ogen. Maanden werk ik me uit de naad voor Vertimix. Gaat hij mij nu vertellen dat ik geen verantwoordelijkheidsgevoel heb?

'Weet je nog dat je laatst een telefoongesprek had in de telefooncel? Dat was duidelijk een privételefoontje, dan nog niet te spreken over wat er daarna gebeurde.' Gaat hij mij aanspreken over het feit dat we seks hadden tijdens werktijd? 'Je mag blij zijn dat ik je geen officiële waarschuwing geef voor zulk ongepast gedrag.'

'Maak je een grapje?'

'Nee, onze relatie is strikt professioneel. Ik vind dat mensen die seks hebben tijdens werktijd op staande voet ontslagen moeten worden.' Hij kijkt nog steeds naar buiten, alsof hij mij geen blik meer gunt.

De deur zwaait open en Chris staat in Randalls kantoor. 'Ik heb je nodig, Randall.' Hij heeft blosjes op zijn wangen. Ik besef dat sinds zijn promotie die blosjes nooit zijn weggegaan.

'Heeft het haast?' vraagt Randall. Hij draait zijn stoel weer terug.

'Ja, anders zou ik hier niet staan. Het gaat over die belangrijke aandelentransactie...'

'Chris, ga maar even zitten. Die transactie kan nog de hele dag en anders is het pech gehad. We moeten praten.'

Ik sta op om weg te gaan. 'Emma, je blijft hier zitten. Sterker nog, ik wil dat jij jouw bevindingen vertelt van afgelopen maand. Ik laat jullie even alleen.'

Shit. Randall verlaat zijn kamer. Laat hij mij zijn vuile werk opknappen. 'De resultaten van afgelopen maand zijn teleurstellend.'

Chris kijkt me met grote ogen aan. 'Vertel me iets nieuws.' Hij haalt zijn schouders op.

'Je keurt mijn transacties te laat goed. Daardoor loop ik steeds achter de feiten aan.' Ik hoop dat hij mij begrijpt.

'Ik vind dat je veel te veel risico's neemt. Je denkt dat je alles kunt maken. Als ik een fout maak dan kan ik het niet goedmaken met de baas zoals jij dat doet.' Insinueert hij dat ik alles kan doen en het daarna goedmaak met seks?

'Ik neem niet te veel risico's, mijn berekeningen zijn steengoed. Maar we moeten gewoon snel handelen in deze business.'

'Ga jij mij vertellen hoe deze business werkt? Toen jij nog in de luiers zat, werkte ik al in deze business. Jullie hebben geen respect voor de oudere generatie,' briest hij.

Ik moet het anders aanpakken. Hoe kan ik leiderschap

tonen?' 'Nee, sorry. Het was niet mijn bedoeling om jou te vertellen hoe de business werkt.' Er ontstaat een stilte en ik weet niet wat ik tegen hem moet zeggen. Het lijkt erop dat ik niet zo veel leiderschap heb als ik dacht.

'Ik wilde deze promotie al jaren. Ik heb naar het moment toegeleefd, maar ik heb nooit beseft hoe die verantwoordelijkheid op je kan drukken. Ik verlang terug naar de tijd dat ik alles onder controle kon houden, gewoon met mijn eigen portefeuille.' Het lijkt wel alsof hij niet meer tegen mij praat, maar tegen zichzelf.

'Je kunt onmogelijk alles controleren. Als er iets misgaat, kun je het met de medewerker bespreken en analyseren, zodat we ervan kunnen leren.' Ik durf er niet achteraan te zeggen dat ik het zo deed als ad-interimmanager van de afdeling.

'O. Zo had ik er nog niet naar gekeken.' Hij glimlacht. Is dit coachen? Heb ik nu leiderschap getoond? Ik kan het moeilijk aan hem vragen.

'Je kunt ervan uitgaan dat ik geen fouten maak. Tenminste, in mijn werk maak ik geen fouten. In mijn privéleven maak ik er heel veel. Mijn laatste grote fout was: verliefd worden op mijn getrouwde baas.' Ik schud mijn hoofd. De woorden stromen uit mijn mond, alsof ik per ongeluk de kraan heb open laten staan.

'Ben je verliefd op hem geworden?' Hij lijkt oprecht geïnteresseerd in mij.

'Ja, ik heb er een punt achter gezet. Hij ging vreemd met mij, en dat terwijl hij nog getrouwd is,' grinnik ik.

'Ik denk dat dat een verstandige keuze is, Emma. Randall verstaat zijn vak als geen ander, maar zijn reputatie met de vrouwen is niet best.'

'Waarom vertel je mij dit nu pas?' Ik geef hem een speels duwtje tegen zijn schouder.

'Wil jij mij helpen de komende tijd?' Best schattig als een

man die mijn vader had kunnen zijn om hulp vraagt.

'Ja, natuurlijk. Ik heb een heel handig systeem in Excel gebouwd...'

'Gaat alles goed hier?' Randall loopt zijn kantoor weer binnen.

Chris staat op. 'Ja, helemaal goed. Ik ga weer verder.' Zou ik ook rode koontjes hebben? Ik ga met mijn hand langs mijn wang en het voelt broeierig aan.

'En? Hoe ging het?'

'Goed. We hebben afgesproken dat ik hem ga helpen. Je hebt inderdaad goed advies gegeven, dank je wel.'

'Begin je weer een beetje van me te houden? Ik ben zo'n goede adviseur.'

'Nee, ik ben eerder jouw werk aan het doen. Maar ik denk dat ik het beter kan dan jij.'

'Oeh. Vrouwen met ambitie, daar krijg ik spontaan een stijve van.' Ik kijk naar zijn broek en tot mijn schrik zijn het niet alleen woorden. Waarom moet ik direct kijken? Ik kijk de andere kant op.

'Ga je ineens preuts doen, Emma. Je hebt dit heus eerder gezien.' Hij wijst met zijn vinger naar zijn kruis. Ik moet Veronique nogmaals adviseren om van hem te scheiden. Als ze me ooit weer wil zien. Hij zal haar tot in de lengte der dagen bedriegen.

'Laten we onze relatie strikt professioneel houden.' Ik draai me om en loop naar de deur.

'Je maakt me gek, Emma.'

Els doet net alsof ze mij niet ziet als ik Randalls kantoor uit kom. 'Randall vroeg of je even bij hem wilde langskomen. Hij heeft een cadeautje voor je.'

Els springt op vanachter haar bureau, waardoor haar discoballen stuiterend op en neer springen. 'Oké.'

'*Have fun.*'

27

Ik achtervolg een mevrouw met een headset op haar hoofd die druk aan het praten is. Ze zwaait met haar armen en commandeert medewerkers door haar microfoon. Ik volg haar door smalle gangetjes achter de coulissen van de grootste zangshow van Nederland. Als ze me hier achter zou laten zou ik de weg nooit meer terugvinden. Om me heen lopen heel veel medewerkers met identieke headsets, ze zien er stuk voor stuk belangrijk uit.

'Ik heb Emma gevonden,' hoor ik haar zeggen. 'Waar moet ik haar heen brengen?' Ze luistert aandachtig en vervolgt: 'Dat was te verwachten. Ik breng haar daarheen.'

Wat een opluchting om even niet af te wachten of Veronique komt. Bij iedere vrouw met dansend haar schoot het bloed door mijn aderen, om er vervolgens achter te komen dat het niet Veronique was die aan kwam lopen, maar een andere vrouw met mooi dansend haar. Ze heeft sinds ons etentje niets meer van zich laten horen en ik geef haar geen ongelijk. Ze reageert niet op de vele berichtjes die ik afgelopen week naar haar heb gestuurd.

'Ze zit opgesloten op een toilet. Als je haar eruit hebt gekregen staan er op de gang collega's van mij. Zou je die direct op de hoogte kunnen stellen? Succes.' Voordat ik iets terug kan zeggen is het bezige bijtje verdwenen.

'Betty, ben je daar?' Ik hoor mijn eigen stem galmen in de toiletruimte. De vloer en de muren zijn met steeds dezelfde kleine vierkante tegeltjes afgewerkt. Het lijkt hier op een gesticht. Aan het schelle tl-licht lijkt niets te ontsnappen. Rechts zijn de toiletdeuren en links de fonteintjes. Eén deur is op slot. Geen reactie. 'Hallo,' probeer ik nog eens met meer volume. Niets. Ik klop voorzichtig op de deur.

'Bezet,' roept iemand. Oeps. Dat is duidelijk niet Betty.

Het slot van de deur gaat open en een blonde tengere dame komt naar buiten. Haar gezicht lijkt wel plamuur. Ze rolt met haar ogen.

'Sorry, ik was op zoek naar Betty. Ik werd door zo'n headset hierheen gebracht, maar blijkbaar is ze hier niet meer.'

'Dat is toch die dikke gymlerares? Vreselijk dat je het zover laat komen. Onbegrijpelijk. Dat zijn van die lui die nog nooit van mate hebben gehoord.' Ze begint heel hard te hinniken, ze lijkt wel een hyena. Ze bekijkt mij ongegeneerd van top tot teen. 'Jij begrijpt wat ik bedoel, wij weten maat te houden.' Ze kijkt naar haar spiegelbeeld terwijl ze haar handen wast zonder zeep. Ze kan niet te veel praten want dan scheurt haar plamuurwerk.

'Ik weet niet of ik dat begrijp. Ik weet één ding in ieder geval zeker. Betty heeft de afgelopen tijd ontzettend hard gewerkt om af te vallen. En ik ben trots op haar dat ze dat heeft gedaan. Ze ziet er wat mij betreft geweldig uit.' Geen idee waarom ik mijn punt wil maken tegen deze vreselijke vrouw.

'Is Betty jouw vriendin of zo? Ze lijkt mij niet een type om bevriend te zijn met jouw type.' Ze is nog steeds zichzelf in de spiegel aan het bekijken. Ze is nu met haar vinger haar lippen aan het insmeren met lipgloss. Ze maakt geen gebruik van een kwastje en ik probeer niet aan de bacteriën te denken die ze nu op haar lippen smeert.

'Ja, Betty is een vriendin van mij. Ze is zelfs een heel goede vriendin van mij.' Ik overdrijf misschien wel wat, maar ik vind het een irritant wijf.

De blonde spillebeen loopt zonder me nog een blik te gunnen op haar enorm hoge palen het toilet uit, alsof ik in haar achting daalde toen ik zei dat Betty mijn vriendin is.

'Emma, ben je daar?' Ik hoor de piepstem van Betty uit een ander toilet komen.

'Betty, waar ben je?' Een deur die niet op slot stond schuift open en ik zie Betty met zwarte ogen.

'Ik durf niet terug naar de make-up dames, ze hebben het al drie keer opnieuw moeten doen.' Ze begint te huilen. 'Ik ben en blijf de dikke gymlerares.'

'Je bent niet dik. Je bent ontzettend veel afgevallen. En ook al was je niet afgevallen, je hebt een dijk van een stem. Dit is geen 'wie is de dunste'-wedstrijd, ofwel soms?'

'Meende je het wat je net zei over dat ik een vriendin van je ben?'

'Wat een bitch is dat. Je moet je niet laten gek maken door dat soort oppervlakkige types. En ja, ik meende het.'

Betty springt me om de hals en ik weet nog net mijn even-wicht te bewaren. 'Je bent zo lief. Zonder jou had ik hier niet gestaan. En ik moet straks in de *battle* tegen die bitch zingen. Eén van ons gaat door naar de volgende ronde.'

'Je kunt het, ik zal je aanmoedigen. Heel veel succes, Betty. Je moet je nu echt gaan melden bij de headsetpolitie. Volgens mij hebben ze een beetje stress momenteel.'

'O. Ik schaam me dood.' De onderlip van Betty trilt.

'Nee, je gaat niet huilen. Je doet je kin omhoog. Je bent een volwassen vrouw en je gaat laten zien wat je te bieden hebt.' Ik houd haar schouders vast en kijk haar recht in de ogen aan.

'Ik ga winnen,' roept ze uit. Ze springt heen en weer. 'Kom

we gaan naar de visagiste, ik moet zo zingen.'

'Ik ga weer terug naar de tribune. Zet hem op, Betty!'

'Geef je Veronique een knuffel van me,' roept Betty als ze weghuppelt. Ik ben bang dat Veronique dat niet op prijs stelt. Het is maar goed dat Betty niet weet dat Veronique nog niet gearriveerd is.

Ik loop terug naar de tribune en mijn ogen zoeken in de menigte onze plaatsen. De stemmen van de pratende mensen in deze volle zaal dreunen door mijn hoofd. Ik zie dat er twee lege stoelen zijn. Mijn onderbuik steekt. Ik stap de houten trap op en ga op mijn plek zitten en ik leg mijn hand op de lege stoel.

'Zou je je hand van mijn stoel kunnen halen?' De stem van Veronique is kalm. Ze praat tegen me alsof ze me niet kent.

'O sorry. Wat fijn dat je bent gekomen.' Er ontstaat een zweetdruppel op mijn voorhoofd, de temperatuur in de zaal is subtropisch.

'Ik ben hier voor Betty.' Veronique slaat haar armen over elkaar heen. Ze heeft een prachtige zwarte kasjmieren trui aan, ik zou de zachte stof willen aanraken.

'Het gaat goed met Betty. Ze was eventjes zenuwachtig, maar ze is weer helemaal rustig.' Ik kijk Veronique aan die voor zich uit staart alsof ik niet tegen haar praat. 'Ik dacht dat je het wel fijn zou vinden om te weten hoe het met Betty gaat.' Geen reactie.

Ik leun achterover in mijn stoel. Het is een grote zaal afgeladen met publiek. In het midden is er een boksring. Ik begin nu te begrijpen wat ze met *battle* bedoelde, ze gaan tegen elkaar zingen in de ring. 'Ze gaat tegen iemand anders zingen in de ring. Eentje gaat dan door naar de volgende ronde.' Geen idee of ze naar mij luistert, maar het is wel handig om te weten.

'Denk je dat ik een idioot ben? Ik weet wel hoe het werkt.'
Ze praat weer tegen mij. Gelukkig. De eindeloze stiltes zijn
voorbij.

'Ik had geen idee.'

'Nee, jij bent veel te druk met mannen versieren. Dan heb
je geen tijd om tv te kijken.'

De lampen gaan uit en de lichten zijn gericht op de boksring. De show gaat beginnen. 'Spannend,' zeg ik. Ik onderdruk mijn impuls om de arm van Veronique vast te grijpen.

De presentator opent de show. De *battles* die we voorbij
zien komen zijn super spannend. Wat een leuke show is dit.
Inderdaad wel gek dat ik dit niet eerder gezien heb. Maar
misschien bestaat het alleen in Nederland? In New York
keek ik amper televisie omdat ik daar geen tijd voor had.
Met geknepen billen wacht ik op de *battle* van Betty. 'En nu:
de zingende gymlerares,' hoor ik de presentator omroepen.
Ik grijp het bovenbeen van Veronique vast.

'Hou je hand bij je.' Ze duwt mijn hand weg. Ik moet één
seconde aan Randall denken, dat opdringerige karakter is
blijkbaar aanstekelijk.

Betty komt de ring binnensprinten als een ware boks-
kampioen. Ze maakt van die boksbewegingen alsof ze een
warming-up doet. Bootcamp heeft zijn vruchten afgewor-
pen. 'Gelukkig hebben we ook boksen geoefend met bootcamp,' juich ik. Doordat iedereen aan het klappen is hoort
Betty mij natuurlijk niet. Veronique wil mij niet horen dus
mijn gejuich slaat nergens op. Nu wordt haar tegenstander
aangekondigd. Zij is voornamelijk bezig met hoe ze op die
hoge palen de boksring in moet komen. Betty helpt haar
een handje. Het publiek begint hard te juichen als ze dat
zien gebeuren.

Ik ga staan en klap in mijn handen. Die blonde tegenstander van Betty loopt rondjes door de boksring alsof ze een

modeshow aan het lopen is. Betty is nog steeds als een oude gek aan het 'luchtboksen.' Het ziet er geweldig uit. De zaal gaat uit zijn dak met deze twee figuren.

Iedereen gaat weer zitten en ik hoor het geklap en gejuich afnemen. Het intro op de piano vult de zaal. Ik herken de toon direct. Gaat ze dit liedje zingen? Ik gloei vanbinnen. Ik hoor Betty de tekst uithalen bij het refrein: '*I am beautiful, no matter what they say, words can't bring me down.*' Er ontstaat kippenvel over mijn hele lichaam.

Veronique grijpt mijn hand vast. 'Dit is fantastisch,' hoor ik haar zeggen. Ik verstar in mijn stoel. Ze is even vergeten dat ik haar zo veel pijn heb gedaan.

Het nietszeggende blonde popje wordt weggeblazen door Betty. Ze weet de tekst zo krachtig te brengen. Haar dramatalent komt op het podium tot zijn recht. Na het liedje mag de jury vertellen wie er door is. Ze proberen het spannend te maken, maar uiteindelijk horen we James zeggen: 'Betty, jij bent door naar de volgende ronde.'

Ik ren op het podium af naar Betty. 'Betty, gefeliciteerd. Je was geweldig.'

De tranen rollen over haar wangen. 'Ik weet niet hoe ik dit aan Matthieu ga uitleggen.'

'Hij weet hier toch van? Hij ambieerde iets met korfbal.'

'Dat had ik verzonnen. Ik weet niet waarom, ik doe soms hele domme dingen. Ik weet dat hij dit niet goed zou keuren,' snikt ze.

'Maar de vorige uitgezonden audities heeft hij gemist?'

'Ja, ik dacht, ik wacht tot hij mij ermee confronteert. Tot op de dag van vandaag heeft hij niets gezegd.'

'Leeft hij onder een steen of zo?'

'Hij werkt of speelt korfbal. Waarschijnlijk kijken zijn collega's en sportvrienden niet naar dit programma. Dit had ik niet verwacht. Ik ben door!'

'En leest hij dan niet al die berichten op Facebook?' vraag ik.

'Hij zit niet op Facebook.'

'O. Het komt goed, Betty. Ik ga je helpen.'

'Echt waar?' Ze bespringt me en ik heb nu al spijt van mijn belofte.

'Je moet weer terug naar je plek.' Betty geeft me een duw.

'Ik ga met jou mee.'

'En laat je Veronique alleen?'

'O ja, ik ga weer terug, Ik zie je later wel, oké?'

'Ja, op de *afterparty*. Hup, terug naar je plek.'

Als ik terug ben op mijn plek wil ik het hele verhaal van Betty aan Veronique vertellen, maar ze geeft me een duw tegen mijn schouder en wijst naar de boksring. Ik zie James op het podium staan. Gaat hij zingen? 'Dit liedje heb ik geschreven voor mijn grote liefde, Emma,' galmt er door de zaal. 'Zij is mijn muze.' Ik hoor aan alle kanten gillende keukenmeiden. 'Ze zit nu in de zaal. Emma? Kun je naar mij toe komen?'

'Ze staan voor je in de rij, Emma,' lacht Veronique. Ik kan niet plaatsen of ze echt moet lachen of dat het afgunst is.

Ik zit stijf op mijn stoel. Hij kan toch niet serieus menen dat ik het podium op moet? Ik kijk om me heen. Er zitten minstens duizend mensen in de zaal. Het bloed stroomt naar mijn hoofd en ik wapper met mijn handen voor mijn gezicht. Het helpt niet. 'Ik kan dit niet.'

'Natuurlijk kun je dit wel, stel je niet aan.' Veronique gooit haar armen in de lucht.

'Emma, waar ben je?' James zwaait met zijn armen richting het publiek. Van alle kanten claimen meisjes Emma te zijn.

'Ze is hier,' roept Veronique hard. Ze staat op en wijst naar mij.

Fel licht schijnt binnen een aantal seconden op mijn gezicht. Zo voelt dus een spotlight. Ik ben in één klap verblind. Binnen no-time is er een cameralens tegenover me die ieder pukkeltje op mijn gezicht kan waarnemen. Ik zwaai naar de camera. Waarom doe ik zo onnozel?

Ik hoor dat James ondertussen een liedje voor mij zingt. Ik wandel de inmiddels bekende treden naar beneden. Niet vallen, Emma, spreek ik mezelf toe. Eenmaal bij de boksring snap ik hoe die bitch moeite had om hier op te komen. Ik zet mijn handen op het podium en probeer mezelf omhoog te drukken. Ik bengel met mijn benen in de lucht en trek mezelf omhoog aan de ring. Zonder bootcamp was mij dit nooit gelukt. Ik sta in de ring en James kijkt naar me met zijn schitterende ogen. Draagt hij make-up? Ik zie rechts van me dat er ook een trap is om de boksring in te gaan.

James pakt mijn hand vast en trekt me naar hem toe. Hij blijft doorzingen. Moet ik nu gaan dansen? Ik hups wat heen en weer. Lijk ik nu op een vierjarig meisje dat voor het eerst naar dansles gaat? Ik kan dit niet. Ik ben niet gemaakt om op een podium te staan. Ik ben goed in berekeningen. Vraag me wat een aandeel heeft gedaan afgelopen week: dat weet ik en dat kan ik.

'Zullen we samen een liedje zingen?' vraagt hij. De zaal begint te juichen. 'Vroeger zongen wij altijd een liedje op de miniplaybackshow. Weet je nog Em?'

'Nee, geen idee,' zeg ik. Ik kijk hem met grote ogen aan en schud nee.

'We deden altijd *Dirty Dancing*: "*I had the time of my life.*" Ja, we deden ook de lift aan het einde.'

Het publiek begint te juichen. '*We want more,*' roepen ze.

Het liedje wordt ingezet en vanuit het niets krijg ik een microfoon in mijn handen gedrukt. Hoe werkt zo'n ding? Ik wil en kan dit niet.

James begint te zingen en ergens weet ik gelukkig de tekst wel uit mijn hoofd. Want dat soort onzinnige dingen onthoud ik blijkbaar ook. Ik moet als een kraai klinken naast hem. Mijn eigen stem hoor ik door de zaal galmen. Als James mij leuk vond, dan vindt hij dat nu waarschijnlijk niet meer. Wie valt er nou op iemand die zo vals zingt? Het publiek gooit gelukkig geen rotte tomaten naar me. Aan het einde van het liedje grijpt iemand de microfoon uit mijn hand. James staat klaar op mij op te vangen, dit kan nooit goed gaan. Ik ren op hem af en ik zweef. We deden dit vroeger in het water en ik kan het nog steeds. Ik hou mijn ogen dicht en ik hoor het publiek klappen en juichen. Wat moet James sterke armen hebben. Ik laat me in zijn armen vallen. Hij voelt heerlijk aan. Ik vergeet even dat we van alle kanten gefilmd worden door nationale televisie. Ik zie lichtflitsen aan alle kanten afgaan.

'Ik heb je gemist, Emma.' Ik leg mijn hoofd in James' nek. Hij ruikt nog hetzelfde na al die jaren. Zijn hand aait mijn wang en zijn lippen vinden de mijne. Dit voelt hemels.

Na die heerlijke zoen doe ik mijn ogen open. O nee, ik heb niet helder nagedacht. We lopen via de comfortabele trap het podium af. Ik zie Betty staan en ik omhels haar. 'Moest je zo nodig alle aandacht van mij afpakken?' vraagt ze me. O nee, daar gaan we weer. 'Grapje, Emma.' Ze begint te schaterlachen. 'Jij kunt echt niet zingen.'

'Dank je wel. Jij kan wel zingen, girl.'

'Maar die lift, fantastisch, girl.'

'Meekomen jij,' James staat voor onze neus en trekt me aan mijn hand mee backstage. 'Ik wil je nooit meer kwijt.' Misschien wordt dat wel zijn volgende hit? Hij kust me zachtjes op mijn lippen en ik voel zijn hand stevig om mijn middel.

'Ik ben blij dat ik je weer tegen ben gekomen.' Ik ben niet goed in teksten. Misschien is het beter om niets te zeggen.

'Ik ook.' Hij grijnst naar me en drukt zijn lippen op de mijne.

Emma is opnieuw verliefd op haar jeugdliefde James, een wereldberoemde zanger, en de liefde is wederzijds. Maar een relatie met iemand die altijd op reis is en hordes groupies achter zich aan heeft, gaat niet altijd over rozen.

Gelukkig leert Emma haar familie in Nederland steeds beter kennen en brengt dit een onverwachte vriendschap met zich mee…

James vraag Emma ten huwelijk! Emma's moeder is dolgelukkig en assisteert James bij de voorbereidingen. Hierdoor krijgt Emma het gevoel dat zij de controle volledig verliest. Veranderingen op de werkvloer zorgen er bovendien voor dat zij weer samen moet werken met Randall. Zullen zij elkaar kunnen weerstaan? Heeft zij in James wel de ware gevonden…?